LUIZA HELENA
MULHER DO BRASIL

Cara leitora, caro leitor,
Queremos saber sua opinião sobre nossos livros.
Após a leitura, curta-nos no **facebook.com/editoragentebr**,
siga-nos no **Twitter @EditoraGente**,
no **Instagram @editoragente**
e visite-nos no site **www.editoragente.com.br**.
Cadastre-se e contribua com sugestões, críticas ou elogios.

PEDRO BIAL

LUIZA HELENA

**MULHER
DO
BRASIL**

DIRETORA
Rosely Boschini

GERENTE EDITORIAL SÊNIOR
Rosângela de Araujo
Pinheiro Barbosa

EDITORA JÚNIOR
Rafaella Carrilho

ASSISTENTE EDITORIAL
Tamiris Sene

PESQUISA DE CONTEÚDO
Camila Moraes
Heitor D'Alincourt
Ricardo Carvalho

PRODUÇÃO GRÁFICA
Fábio Esteves

PREPARAÇÃO
Lucia Seixas

CAPA E PROJETO GRÁFICO
GB65
Giovanni Bianco
Lucas Wild do Vale
Cecilia Wagner

DIAGRAMAÇÃO
Linea Editora

REVISÃO
Amanda Oliveira
Natália Domene Alcaide

FOTO DE CAPA
Miro

IMPRESSÃO
Rettec

Fotos: © Arquivo pessoal. Exceto:

p. 23: © Léo Luz – Grupo Luz
p. 196 (3), p. 197 (7) e p. 241: © Angela Rezé
p. 197 (8): © Agliberto Lima/Estadão Conteúdo
p. 196 (4): © Orlando Júnior/Futura Press
p. 159, p. 189, p. 196 (1 e 2), p. 197 (5 e 6),
p. 205: © Acervo Magalu
p. 250 e p. 252: © Acervo Magalu, tiradas por Pedro Vilas Bôas

Copyright © 2022 by Pedro Bial
Todos os direitos desta edição são reservados à Editora Gente.
Rua Natingui, 379 – Vila Madalena
São Paulo, SP – CEP 05443-000
Telefone: (11) 3670-2500
Site: www.editoragente.com.br
E-mail: gente@editoragente.com.br

Dados Internacionais de Catalogação na Publicação (CIP)
Angélica Ilacqua CRB-8/7057

Bial, Pedro
 Luiza Helena – Mulher do Brasil. São Paulo: Editora Gente, 2022.
 320 p.

 ISBN 978-65-5544-183-3

 1. Trajano, Luiza Helena - Biografia 2. Empresárias - Brasil - Biografia I. Título

21-5599 CDD 926.58

Índice para catálogo sistemático:
1. Empresárias - Brasil - Biografia

NOTA DA PUBLISHER

Querida leitora e querido leitor, você está prestes a mergulhar na história de uma das mulheres mais fascinantes que tive o privilégio de conhecer. Luiza Helena Trajano se tornou uma referência como empresária, responsável por liderar a transformação do negócio fundado por sua tia, Luiza Trajano Donato, na cidade de Franca, interior de São Paulo, em uma das maiores empresas do país.

No entanto, Luiza me fascinou não apenas por sua habilidade ímpar com os negócios, foi a sua força e o seu compromisso em usar sua capacidade de influenciar para provocar mudanças e dar voz a cada vez mais pessoas que me dizia: precisamos ter um livro dessa mulher. Precisamos contar sua história, e permitir que sua visão e atitude se tornem ferramentas para novas lideranças que também sonham em contribuir para a construção de uma nova realidade.

Luiza Helena – Mulher do Brasil é uma obra pela qual espero há mais de vinte anos. Era virada para os anos 2000 quando visitei Luiza, em Franca, pela primeira vez. Visitamos a loja digital, uma dentre tantas inovações que o Magazine Luiza trouxe para o mercado. Era uma loja que servia à comunidade, além dos produtos apresentados de maneira surpreendente, ainda oferecia espaço para cursos diversos. Era uma loja pequena, mas que entregava uma experiência que nunca tinha visto antes.

Entre aquele primeiro encontro, no qual tive o prazer de testemunhar a verdade de alguns valores que você encontrará nesta leitura, e a materialização deste livro, muitas idas e vindas foram necessárias. Luiza sempre me dizia que ainda não era hora, alguma peça faltava.

Quando ela finalmente disse *sim*, mais uma vez, fui surpreendida por alguém que desde o primeiro dia de trabalho para definirmos os caminhos do livro colocou a colaboração na frente de tudo. Familiares, mentores, parceiros... Luiza fez questão de envolver a todos, pois ela sabia que esta história não era só dela. E quando Pedro Bial convidou Luiza para que ele contasse sua história, nada mais faltava. O livro estava pronto para nascer.

Bial, escritor e jornalista com uma experiência bárbara, carregou as palavras que você está prestes a ler com a sensibilidade e o cuidado com os quais a história de Luiza merece ser contada.

Num encontro que tive com Oscar Motomura, amigo e uma das pessoas que acompanhou de perto a jornada de Luiza, ele me disse: "Luiza Helena tem algo raro: abertura para fazer o inédito. Aquilo que ninguém faz, ninguém fez. Ela transforma ideias em ação".

Meu desejo é que esta leitura inspire você a também fazer aquilo que ninguém ainda fez, a transformar suas ideias em ação. Parafraseando o que Luiza Helena disse a Pedro Bial na primeira entrevista para o livro, *a mudança nas organizações e na nossa sociedade é pra já!*

Rosely Boschini
CEO e Publisher da Editora Gente

LUIZA HELENA TRAJANO, 3 ANOS.

AGRADECIMENTOS

Adriana Cintra; Alberto Carraro Fernandes; Alcione Albanesi; Alexandra Casoni; Alfredo Dias Gomes; Alice Coutinho; Aline Grasiele de Oliveira; Ana Amélia Ribeiro; Ana Lélis; Ana Luiza Herzog; Ana Luiza Trajano; Ana Maria da Silva; Ana Paula Padrão; Ana Rizzo; André Fatala; Anette Reeves de Castro; Angela Rezé; Angélica Cristina Lopes Miranda; Antônio Carlos Pipponzi; Armando Antônio Rizzati; Benedita Kassongo; Betania Tanure; Carlos Donizetti Trajano; Carlos Renato Donzelli; Chieko Aoki; Clovis Tramontina; Correia Neves Júnior; Daniela Paris; Deolindo da Silva Sobrinho; Diego Marcel Vieira; Dilma Rousseff; Dora Bittar; Douglas Matricardi; Eduardo Melzer; Elaíse Barbosa; Eliane Sanches Querino; Fabíola Xavier; Fabrício Garcia; Fernando Bueno Ribeiro; Fernando Silva; Flávio Rocha; Francisco Rodrigues; Frederico Trajano; Gisele Morila; Glória Kalil; Hélio Rubens Garcia; Hélio Rubens Garcia Filho; Hermínio Porcino do Nascimento; Jaciara Nascimento da Silva; Jacqueline Judite Hess Coimbra; Janete Carla de Oliveira; Janisse Mahalem Lima; João Bhosco Stefano Cordeiro; João Carlos Brega; João Doria; José Antônio Palamoni; José Carlos Rosa; José Roberto Garbim; José Vicente; Julio Pereira; Julio Trajano; Karina Pereira dos Santos; Leda Maria Miguel Garcia; Lélis Caldeira; Lilian Leandro; Lúcia Helena

AGRADECIMENTOS

Malaquias; Luciana Trajano; Luciano Marques; Luiz Carlos Cabrera; Manoel Cintra; Marcelo Silva; Márcia Rodrigues; Márcio de Andrade Schettini; Márcio Renê de Souza; Marcos Lauro; Maria Helena Garcia; Maria Isabel Bonfim de Oliveira; Maria José Ramos de Sousa Silveira; Maria Laura Pereira; Maria Prata; Mariana Soares Correa; Maristela Mendonça; Martha Caleiro; Matias Alves Teodoro Taveira; Maurílio Biaggi; Mauro Marangoni; Mônica Bittar; Mônica Santos; Nilva Ferreira da Silva; Nizan Guanaes; Onofre Trajano; Oscar Motomura; Patrícia Moraes; Pedro Henrique Moraes; Pedro Moreira Salles; Raíssa Aryadne; Rebeca Vilagra; Rejane Santos; Renata Florio; Ricardo Carvalho; Roberta Oliveira; Rosana Freitas Prado; Sônia Hess; Susana de Souza; Taísa Trajano Tavares; Tarsila Mendonça; Telma Rodrigues; Tom Farias; Valdeci Rodrigues de Souza; Valdes Rodrigues; Vicky Bloch; Zeno Abreu.

DE LIQUIDIFICADORES E TIJOLOS

Ela nunca vendeu um liquidificador só.

"Como assim, Bial?", pode bem estranhar o caro freguês leitor. Como a maior vendedora da paróquia, líder da maior varejista da história do Brasil, nunca vendeu um liquidificador?

"Você deve estar dizendo", prossegue meu paciente leitor, "que ela nunca vendeu um só, vendeu milhões e milhões de liquidificadores, geladeiras, eletrodomésticos em geral... Bens de consumo tão presentes na vida da família brasileira, que hoje a gente fala dela com a intimidade que tem com um parente, uma irmã, uma tia querida. Sim, ela vendeu, e vende, muito, à beça."

Sim, não, calma; respondo, deixa eu tentar explicar.

Claro que hoje, depois de quase sessenta e cinco anos de comércio, por certo que mais de bilhão de vendas já foram feitas nos balcões, físicos e virtuais, de sua loja. Falo do que ela vende junto ao que se compra e não é aparente, é mais que o produto, mais que a embalagem, mais que o crédito e a satisfação, uma coisa que o cliente não vê, mas leva pra casa, mesmo sem saber. Talvez, é bem possível, a intuição do freguês pode levá-lo a desconfiar, por uma certa simpatia que se sente, assim, de graça, um afeto, laços que vão além das fitas de embalagem.

Vou usar uma parábola para me fazer entender, a história dos dois pedreiros.

Dois pedreiros trabalhavam lado a lado numa obra. Quando perguntaram ao primeiro o que estava fazendo, ele mostrou: "Ah, eu boto um tijolo em cima do outro, com uma camada de cimento no meio. Pra grudar. Depois, mais um para cima, cimento e grudo, um em cima do outro...".

Satisfeito, o sujeito que tinha feito a pergunta já se encaminhava para ir embora quando se deteve para acompanhar o trabalho do segundo pedreiro, que repetia tal e qual a mesma operação descrita pelo primeiro. Como se percebesse observado, o segundo pedreiro falou, educado: "Pois não, senhor?". Para retribuir a gentileza, o visitante fez a mesma pergunta de novo: "E você, o que está fazendo?".

O segundo pedreiro interrompeu seu trabalho, soergueu-se, limpou o suor da testa com o dorso da mão esquerda, e com a mão direita apontou, meio que desenhou uma forma invisível no ar. Apertou os olhos como para enxergar algum lugar distante e respondeu, luminoso: "Eu estou construindo uma catedral".

Luiza Helena Trajano Inácio Rodrigues constrói catedrais. E, olha, não que ela sonhasse nesses termos grandiosos, de erguer catedrais, criar impérios. Esse papo suntuoso não combina com ela, sua ambição é de outra natureza. O que ela chama de futuro não é o que está escondido além dos anos e décadas vindouras. Futuro pra ela é o que vai acontecer daqui a um minuto, daqui a um instante, futuro pra ela é agora. Tanto é assim que, quando lhe perguntei qual deveria ser a primeira frase deste livro, Luiza respondeu citando seu mote de coração: "É pra já!".

Adiante, vamos nos estender a respeito desse senso de urgência que a conduz, sua agilidade mental, um tipo de inteligência a que se costuma chamar de intuição. Para entender o jeito Luiza Helena de estar no mundo, melhor que ficar buscando nomes ou definições é olhar e ver como ela faz o que faz. Só assim se revela.

Ela não queria ser mais do que uma loja, mas queria que sua loja fosse tudo o que uma loja pode ser. E nem ela, nem ninguém, sabe tudo o que uma loja pode ser. Por isso, assim como o segundo pedreiro não apenas empilhava tijolos entre camadas de cimento, ela nunca apenas vendeu um liquidificador, só. Ao vender um liquidificador, preenchia esse ato de sentido, reconhecia seu

---

PEQUENO GLOSSÁRIO DE LUIZA HELENA

É PRA JÁ!

- **1:** SLOGAN, LEMA, PROFISSÃO DE FÉ.
- **2:** SINAL DE ALERTA.
- **POR EXTENSÃO:** NUNCA É TARDE DEMAIS.
- **SINÔNIMO:** "DEMORÔ".
- **ANTÔNIMO:** PREGUIÇA.
- **ADVERTÊNCIA:** "É PRA JÁ" NÃO É SÓ UM CONCEITO TEMPORAL, TIPO "NÃO DEIXE PARA AMANHÃ O QUE VOCÊ PODE FAZER HOJE". TRATA-SE TAMBÉM DE ATITUDE ESPACIAL, SOCIAL, DE FAZER O QUE ESTÁ A SEU ALCANCE. ELA EXPLICA O PORQUÊ: "DETESTO SOFRER DE PROJEÇÃO". SANTO REMÉDIO CONTRA A PROCRASTINAÇÃO.

valor e todos os valores envolvidos num ato de comércio. Valores mais caros e raros que dindim. Inclusos na conta, Luiza vende – permuta, oferece – valores, ideias, projetos; dá horizontes de troco.

Desde cedo, ela aprendeu de perto tudo que é preciso saber sobre cada engrenagem dos círculos virtuosos das redes de comércio. Mais que de perto, de dentro, aprendeu em casa, na mesa de refeições, na sala de estar, na cozinha. Casa e loja sempre foram partes de um mesmo todo, órgãos de um mesmo corpo. Menina, adquiriu essa percepção de que tudo na vida se conecta, de que há elos interdependentes entre coisas que parecem desvinculadas, separadas ou isoladas. Hoje, a palavra da moda seria "holística", e serviria justa. Cedo, Luiza aprendeu também que tais conexões só se mantêm unidas por uma cola abstrata chamada "propósito", outra palavrinha em voga. Proponho aqui usarmos um quase sinônimo para "propósito", de compreensão talvez mais imediata: "sentido". Só há vínculo entre elementos estanques da vida se tal vínculo fizer e tiver sentido.

Vender o que não tem preço é o que Luiza sabe fazer, sempre soube. Não esquece ou perde de vista o significado de cada transação comercial do Magazine. O que uma mera operação de compra e venda pode representar para cada cliente, para cada funcionário, para a empresa e também para os vizinhos da rua, para a cidade e o estado, para o país.

Hoje afastada da operação do Magalu, Luiza impressiona pela administração de seu tempo, seu dia parece ter, no mínimo, trinta e seis horas. Não para de produzir, influir, aproximar pessoas, identificar e encaminhar desejos, transformar projetos em realidade. Através do Grupo Mulheres do Brasil, que preside desde a sua criação, em 2013, empenha toda sua energia e recursos, conhecimento e inteligência, para transformar o país – pelas vias que abre com sua autoridade de representante da sociedade civil. Seu papel à frente do movimento Unidos pela Vacina, em plena pandemia do coronavírus em 2020, já seria suficiente para garantir seu nome no panteão dos heróis do Brasil.

Exemplo notável de mulher moderna, antenada com as mais recentes conquistas da ciência e tecnologia e as mais novas formas de gestão e mobilização social, Luiza Helena reveste essa modernidade de uma ilusória caipirice. Talvez seja a maneira de ela pagar tributo à família que a produziu, seus valores, seus afetos, sua gravidade, sua história.

ORGULHOSA FORMANDA,
COLÉGIO JESUS MARIA JOSÉ,
FRANCA, 1964.

SUMÁRIO

19		A FAMÍLIA TRAJANO
26	CAPÍTULO 1:	POR QUE NÃO A CHAMAM DE HELOISA HELENA?
38	CAPÍTULO 2:	UMA MULHER FELIZ É UMA FREGUESA PARA SEMPRE
44	CAPÍTULO 3:	"SOMOS TODOS VENDEDORES!"
49	CAPÍTULO 4:	A MATRIZ
53	CAPÍTULO 5:	A COMUNICADORA
60	CAPÍTULO 6:	TRADUZIR-SE
68	CAPÍTULO 7:	CIBERNÉTICA SOCIAL
76	CAPÍTULO 8:	"O VAREJO VAI PASSAR POR UMA GRANDE TRANSFORMAÇÃO"
80	CAPÍTULO 9:	PAVÕES, OVOS E LEITOAS
90	CAPÍTULO 10:	DEVERES, PRAZERES
97	CAPÍTULO 11:	PARENTES, PARENTES, NEGÓCIOS À PARTE
110	CAPÍTULO 12:	A FRANCA CIDADE
121	CAPÍTULO 13:	UMA MOÇA BOM PARTIDO
133	CAPÍTULO 14:	"NÃO PEGUE CULPA!"
144	CAPÍTULO 15:	PAIXÃO
150	CAPÍTULO 16:	PAI E MÃE
154	CAPÍTULO 17:	"VAMOS APROXIMAR AS PESSOAS!"

160 CAPÍTULO 18: VIRTUAL ANTES DO VIRTUAL
170 CAPÍTULO 19: RITOS E RECLAMAÇÕES
177 CAPÍTULO 20: TRABALHADORES *VERSUS* SINDICATOS
184 CAPÍTULO 21: DESAFIO REAL
190 CAPÍTULO 22: UMA VISIONÁRIA PRAGMÁTICA: TEORIA
198 CAPÍTULO 23: UMA EMPRESÁRIA AGRESSIVA: PRÁTICA
206 CAPÍTULO 24: O GOSTO PELO CONFRONTO
215 CAPÍTULO 25: A CONQUISTA DE SÃO PAULO
226 CAPÍTULO 26: REPRESENTANTE DE CLASSE
234 CAPÍTULO 27: BRASÍLIA CHAMA
242 CAPÍTULO 28: AÇÃO E INCLUSÃO
253 CAPÍTULO 29: SUCESSÃO 1: AUTORIDADE NÃO SE HERDA
262 CAPÍTULO 30: SUCESSÃO 2: "LAÇOS DE FAMÍLIA" OU "A SUCEDIDA"
268 CAPÍTULO 31: FRED TEM UM JEITO...
276 CAPÍTULO 32: UMA MULHER EM 100 MIL
291 CAPÍTULO 33: METENDO A COLHER
300 CAPÍTULO 34: 2022
308 CAPÍTULO 35: VELHICE
315 CAPÍTULO 36: A VISITA À VELHA SENHORA

A FAMÍLIA TRAJANO

Um sábio já respondeu bem à famosa pergunta: "Qual é o sentido da vida?".

"Ora", respondeu o homem velho, "o sentido da vida são os filhos".

E se você, com razão, insistir – "Os filhos? Que sentido trazem os filhos?" –, é provável que eu responda: "São os filhos que constituem a família, e a família é a melhor ideia que a gente teve até agora de unir o apartado, acolher o desamparado, encurtar distâncias, sacudir indiferenças".

Luiza Helena é a expressão mais notável de sua família.

Família é uma ideia, abstrata como são as ideias. Empresa é uma ficção, se torna real quando se acredita nela. Empresa familiar é quando a família não se cabe em casa. As primeiras manifestações de empreendedorismo humano foram os negócios de família. Empresas familiares têm compromisso genético com a permanência. E, para se perpetuar, não basta compartilhar o mesmo sangue. Mais que genes, são os valores que passam de geração a geração.

Sempre foi assim, e ainda é assim que tudo começa.

```
                                    IRIS – ZÉLIA

                                    ANTÔNIO (TOTA) – ANTÔNIA

                                    JACIRA – CLARISMUNDO

                                    LUZIA – JOÃO PEDRO
MANOEL TRAJANO
E INÊS MENDONÇA
                                    LUIZA – PELEGRINO

                                    EURÍPEDES – NEUZA

                                    MARIA – WAGNER GARCIA

                                    ONOFRE – TEREZA
```

A FAMÍLIA TRAJANO

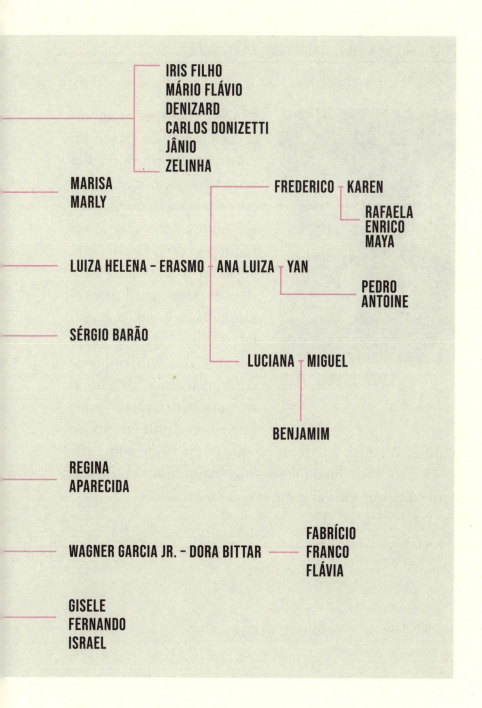

LUIZA HELENA TRAJANO INÁCIO RODRIGUES,
empresária

LUIZA, 15 ANOS, 1962.

"Sabedoria é o saber aprender. Se eu não quiser aprender, nunca vou ter sabedoria. Ela vem de várias formas, adoro aprender com todo mundo. Eu nunca acho que já sei tudo. Se você colocar uma pessoa de varejo que nunca esteve comigo para conversar por vinte minutos, ela vai falar: 'Nossa, ela não é nada do que eu pensei'. Porque eu começo fazendo pergunta. Sempre acho que tenho que aprender. Também adoro ensinar o que já sei. Tenho muito cuidado até com filho para não ficar querendo ensinar coisa antes da época, tem coisa que ele vai ter que apanhar ainda."

FREDERICO TRAJANO INÁCIO RODRIGUES,
executivo, CEO do Magazine Luiza

FREDERICO, 2005, VIRANDO OS 30.

"Ela sempre falava muito de trabalho, trazia trabalho para casa, sempre gostou de conversar, como se a gente realmente fosse capaz de falar de igual para igual, mesmo muito pequenos. Então, eu sempre vivi o trabalho do Magazine dentro de casa. Eu percebia muito esse traço nela, uma preocupação além do resultado, da venda. Sempre foi isso. Sempre essa característica de uma gestão humana, uma gestão mais do que humana, global, holística. É uma pessoa de fazer acontecer, de colocar em prática. Toda força dela vem de uma capacidade de ter uma ótima leitura das pessoas e saber usar isso. Isso envolve também a capacidade de tocar nos pontos sensíveis."

ANA LUIZA TRAJANO,
chef de cozinha

ANA LUIZA, 19 ANOS, 1997.

"Ela é irritantemente otimista. Minha mãe era aquela que sempre trazia novidade pra nós, as viagens, os cursos diferentes, as coisas novas. Chegava uma hora que era novidade até demais. Por exemplo, sabe todas essas técnicas empresariais, gerenciais? Ela aplicava em casa. Então, sexta-feira, tinha reunião. A gente se olhava, os três irmãos: 'De novo ela fez um curso e vai aplicar na gente'. Ela trazia a técnica do feedback... a técnica do não sei o quê... Tínhamos que olhar um pro outro e falar o que achávamos. Brincamos que minha mãe sempre foi excelente mãe, pois como é muito boa gestora, a nossa casa sempre foi muito bem gerida, inclusive na questão afetiva. Nós éramos a extensão de uma empresa, o 'departamento filhos'. Excelente gestora, tudo que ela gere, gere bem; o maior segredo dela foi ter utilizado o talento de gestora para ser mãe."

LUCIANA TRAJANO,
pedagoga e publicitária

LUCIANA, 15 ANOS, 1994.

"Ela ficou muito abalada quando saiu na lista de grandes fortunas da *Forbes*. Fez muito mal para ela. Tem essa coisa de o mundo olhar pra dinheiro dessa forma, como sendo um valor. E pra ela não é. Não que não seja bom, que ela não tenha trabalhado pra isso. Mas ela tem medo de isso defini-la. Até tem importância porque seria bom se mais pessoas começassem a achar que tem um propósito nisso, poderia virar um exemplo. Ela tem essa coisa do propósito muito forte."

CAPÍTULO 1:
POR QUE NÃO A CHAMAM DE HELOISA HELENA?

O choro da recém-nascida estremeceu balcões e prateleiras da Casa Barateira, o empório de secos e molhados conjugado à casa onde moravam e obravam Jacira e Clarismundo Inácio, casados havia três anos.

Não era para Luiza ser filha única, sua mãe Jacira teve três gestações. Duas meninas, uma vinda antes de Luiza e outra depois, morreram por causa de complicações no nascimento. À época, isso não era incomum, os riscos eram enormes para as mulheres que não entravam em trabalho de parto, não tinham contrações ou dilatação. A chance de morte do bebê era tão ou mais comum que a de vida. Jacira, mulher tranquila, de temperamento manso, sensível, atenta às próprias emoções, nunca cultivou esses traumas, dizia de maneira simples: "Tive três, uma nasceu".

Essa saúde emocional, a recusa a dramatizar a vida e seus percalços é um traço de personalidade passado de mãe para filha. E não, não é apenas se curvar à máxima fatalista de que "o que não tem remédio, remediado está". Luiza, como sua mãe Jacira, reconhece o que não tem remédio, assente e segue em frente, na busca de novos remédios – a tragédia se distancia no passado, o erro é a véspera do acerto.

Luiza Helena, a menina sobrevivente, veio ao mundo num sábado, dia 9 de outubro de 1948, em Franca, interior de São Paulo, a 10 quilômetros da divisa com o estado de Minas Gerais. Era jornada de trabalho normal para a família ligada desde as origens ao comércio. Dona Jacira a trouxe ao mundo no quarto, sem as complicações do parto anterior, talvez pelo tamanho diminuto da bebê, que deu a sorte de não ser retirada da barriga da mãe a fórceps. Clarismundo, como os pais daquele tempo, foi privado de participar de perto do nascimento da filha. Só largou o serviço à força dos pulmões da recém-nascida, seu choro saudável e cheio de energia.

Mas a história da chegada ao mundo dessa mulher não se explica sem entendermos outros elos importantes entre sua mãe Jacira e suas três irmãs. Em especial, com a "segunda mãe" de Luiza Helena, tia Luiza, de todas a irmã mais abnegada e aferrada ao trabalho. A ligação entre a menina Luiza e sua tia xará se tornará sempre mais profunda, sólida e forte – passional – pelos anos afora. As duas têm o mesmo nome quase por acaso, se você acredita em acasos dessa natureza.

Já estava decidido que a menina iria se chamar Sônia. De saída para o cartório a fim de fazer o registro, Clarismundo foi interceptado pela cunhada Luiza: "Por que não a chamam de Heloisa Helena?". Era o nome de uma cliente dela, muito simpática, querida, e soava bem. Lá se foi Clarismundo. Ao voltar, comunicou a todos que tinha aceitado a sugestão, mas contribuído com mais uma homenagem. A filha fora registrada como Luiza Helena. A tia não se conteve de satisfação, assim como as outras irmãs. As quatro "corujas" admiravam a menina, nela se reconheciam e a seu futuro.

Eram quatro irmãs muito unidas. Nasceram num tempo e lugar em que só as mulheres cuidavam da casa, era apenas natural. Mas além das tarefas do lar, prescindiram de maiores teorizações para ir à luta, arregaçar ainda mais um pouco as mangas e trabalhar fora. Cuidavam da família e ganhavam o pão. Como? Da maneira que fosse preciso. A vida era um chamado à ação, a disposição para o trabalho estava no sangue. Sempre estivera.

A esse mundo, ao mundo de Jacira, Luzia, Maria e Luiza, as mulheres da família Trajano Matos, se juntava Luiza Helena, filha de duas mães e suas irmãs.

Pedro – *Luiza, vou tirar você do presente um pouco, tirar umas férias, viajar para o passado. Vamos exercitar o glorioso esporte da nostalgia, da lembrança.*

Luiza – *Eu sou péssima para lembrar. Sabe o que acontece comigo, Bial? Cada dia é um dia novo para mim. Eu não gosto de ficar contando a minha história, por isso nunca escrevi livro.*

Pedro – *A gente queria fazer umas perguntinhas pessoais. Na imprensa você não fala da sua vida pessoal, né?*
Luiza – *Alguma coisa eu falo.*
Pedro – *Digo, histórias familiares. O que chama primeiro a atenção é a parte de sua família que veio da Bahia e migrou para o interior de São Paulo. Eles vieram a pé, é verdade?*
Luiza – *Meu avô, sim. Ele veio sozinho.*
Pedro – *Avô por parte de mãe, né? Como foi?*
Luiza – *Ele era bem jovem, não era nem casado com a minha avó, não tinha filhos e nem nada. Eu tenho um pouco de baiana, por isso também eu gosto tanto do Nordeste.*
Pedro – *Ele logo se estabeleceu em Franca?*
Luiza – *Primeiro em Cristais Paulista, só depois ele foi para Franca. Minha mãe nasceu lá, minhas tias nasceram lá. Meu tio mais velho foi para Ibiraci, em Minas, onde começou a mudar o rumo da vida da família.*

Os filhos homens da família Trajano eram Iris, Antônio, Eurípedes e Onofre, os quatro meninos de Inês Mendonça e Manoel Trajano Mattos.

Manoel tinha chegado àquelas bandas paulistas em torno de 1910 – veio a pé. Tinha 19 anos quando saiu de Caetité, no alto sertão baiano, e caminhou os quase 1.100 quilômetros até Franca, atrás de trabalho. Através da história, viajantes mineiros e goianos costumavam descansar em Franca, no indo e vindo de São Paulo para os sertões. Franca era entreposto, lugar de reabastecimento e repouso de homens e animais, referência obrigatória para quem tinha o pé na estrada. Natural que esse polo de andarilhos atraísse Manoel Trajano em sua luta pela vida. Mas o que o fez ficar foi a luta pelo amor, a doçura da moça chamada Inês Mendonça.

Quando conheceu Manoel, Inês era adolescente. Criada num sítio na Serra das Goiabas, reza a mitologia familiar que Inês fisgou Manoel pelo estômago. Em pouco tempo, casaram-se, fixaram-se em Cristais Paulista. Em 1918, nasceu Iris, primeiro filho do casal. Na sequência chegaram Antônio, Jacira, Luzia, Luiza, Eurípedes, Maria e Onofre.

Com tanto filho pra criar, Manoel pelejava, se virava na roça, plantava verduras e legumes para vender. Chegou a ter um bar, péssima ideia para alguém com predisposição ao alcoolismo. Não parava em emprego, mais cedo do que tarde esvaziava a garrafa de confiança dos patrões. A família sofria as consequências do vício de Manoel. Coube ao primogênito Iris, de talento instintivo para os negócios, mudar o rumo da vida de pobreza. Ele é considerado o empreendedor inaugural da família Trajano.

Iris arrumou seu primeiro emprego estável por volta de 1940, como cobrador de ônibus na viação Sanogra, na linha Franca-Ibiraci. Aproveitava a viagem para vender frutas, doces, petiscos, refrescos. Logo aprendeu a dirigir, foi promovido a motorista e, sempre acelerando, fez acordos que o tornaram sócio da empresa, agregando ainda ao negócio seu irmão Antônio, o Tota.

Iris Trajano Mattos casou-se com Zélia, tiveram seis filhos. Um deles, Donizetti, conta que o pai era comerciante de tudo. Quando se aventurou a vender cofres, desenvolveu um método: "Meu pai entrava, por exemplo, num açougue. Pedia um quilo de carne. Pagava. Quando o açougueiro se curvava para guardar o dinheiro numa gaveta embaixo do balcão, ele fazia cara de espanto, exclamava que era um absurdo deixar o dinheiro desprotegido. Antes que o açougueiro pudesse dizer qualquer coisa, meu pai falava: 'Nossa, que coincidência, estou levando esse cofre para vender para uma autoridade aqui da região, mas se você quiser, posso lhe vender!'. Meu pai entrava no açougue como comprador e, quase sempre, saía como vendedor!".

O fim da Segunda Guerra Mundial, em 1945, animou Iris a mudar de ramo. Vendeu sua parte na empresa de ônibus e arriscou abrir o negócio que iria transformar o destino da família Trajano: a Casa Mattos. A loja ficava em Ibiraci, em Minas, a menos de 40 quilômetros de Franca, e funcionava no térreo da casa dos sogros de Iris. Era uma casa típica do universo caipira, onde se vendia, e se comprava, de tudo. Material de construção, ferramentas, roupas e tecidos, botas de couro, secos ou molhados, fumo, facas, panelas... e o que mais chegasse. "Tudo o que vierem me oferecer aqui, eu escuto", dizia Iris.

A Casa Mattos podia ser caipira, mas seu dono tinha uma visão empreendedora clara e determinada, moderna.

Chamo a atenção para um traço de Iris e sua Casa Mattos que se pode notar em Luiza Helena: ela também, por trás de uma aparência caipira, esconde vital e insuspeita modernidade.

Assim que pôde, Iris passou a empregar a família – essa tinha sido a ideia sempre: garantir sustento justo para todos. Deu sociedade ao irmão Eurípedes. Não demorou para a Casa Mattos prosperar e Iris se transferir, com status e mercadorias renovadas, para o centro da cidade de Ibiraci.

O PAI DE LUIZA HELENA, CLARISMUNDO, EM FAMÍLIA.

1. TIA MARIA E O MARIDO, WAGNER. DE PÉ, VÓ INÊS.
2. A BEBÊ LUIZA HELENA.
3. LUIZA, 3 ANOS, 1950.
4. DESTAQUE NO DESFILE DE 7 DE SETEMBRO.

5. LOJA DO MAGAZINE, ANOS 1970.
6. TIA LUIZA, 30 E POUCOS ANOS.
7. LUIZA E SUA PESADA SANFONA.

8. MARIA HELENA, LUIZA, LEDA E MARIINHA, AMIGAS INSEPARÁVEIS.
9. FORMATURA DO COLÉGIO JESUS MARIA JOSÉ.
10. VENEZA, 1968.
11. LUIZA E O PRIMO WAGNER.

12. LUIZA (À DIREITA) E A AMIGA MORALINA, DEBUTANTES.
13. VIAGEM DE FÉRIAS AO RIO, 1970.
14. CALOUROS DA FACULDADE DE FRANCA, 1972.

CAPÍTULO 2:
UMA MULHER FELIZ É UMA FREGUESA PARA SEMPRE

Uma irmã de Iris se destacava nas vendas: Luiza. Vender era um talento inato dela, que seria mais tarde transferido a Luiza Helena, um bocado pelos genes, muito pelo exemplo que deu à sobrinha querida ao longo da vida.

Luiza vendia de tudo e lidava com todo tipo de gente, tornando-se especialista em seres humanos. Quando entrava uma freguesa gorda na loja, Luiza sorria, abria os braços e falava: "Menina, como você emagreceu!". Era irresistível.

Quando tinha de vender sapatos para freguesas com vergonha dos pés tamanho 38, Luiza interpretava sempre a mesma cena. Ia ao depósito e voltava carregando três ou quatro caixas de sapato. Quando chegava perto da cliente, batia na própria testa e dizia: "Nossa, como eu sou burra, só peguei sapato de tamanho grande!". Lépida, Luiza retornava ao depósito, fingia que tinha trocado as caixas e voltava, simpática: "Agora sim, peguei sapato pra pé pequeno!". Antes que a freguesa respirasse, Luiza entregava as caixas, todas com pares 38. Surpreendida, a freguesa alegava que aquele não era um número pequeno. Do alto de sua autoridade de vendedora experiente, Luiza confidenciava: "Minha filha, você nem imagina o tamanho do pé de outras clientes que aparecem por aqui! Acredite, o seu pé é pequeno...". Pronto! Luiza acabara de fazer uma mulher feliz e uma freguesa para sempre.

Tanta competência resultou na promoção de Luiza a compradora da Casa Mattos. Na nova função, lidava com vários fornecedores, entre eles Joviniano Carvalho, gerente da Casa Hygino Caleiro, a loja mais sofisticada de Franca. Encantado com a inteligência e simpatia de Luiza, convidou a moça para trabalharem juntos. Luiza ficou indecisa, foi pedir a opinião do irmão Iris. Nos códigos do tempo e lugar, se alguém conseguia trabalho na cidade, não ousava perguntar de quanto seria o salário. A informação só era conhecida no dia de receber o pagamento. Iris era experiente e sabia que a irmã tinha uma grande oportunidade nas mãos. Em fins de 1952, Luiza deu adeus a Ibiraci. Voltou para casa, para Franca. Para sempre.

A Hygino Caleiro vendia presentes, peças e utensílios domésticos às famílias abastadas da região. Fundada em 1822, tinha tradição, gozava de muito respeito na cidade e arredores. Passara por diversas fases e razões sociais, sempre sob controle da mesma família. Loja mais sofisticada da cidade, sempre que alguém precisava de um artigo de luxo era lá que procurava. Luiza começou como vendedora na seção de presentes, além de responsável por organizar o estoque. Os proprietários, experientes no ramo, não tardaram a reconhecer as aptidões notáveis da jovem Luiza.

A moça tinha características profissionais complementares: sua seriedade transmitia confiança e honestidade, seu interesse pelo outro estabelecia rápida empatia com os clientes. Faziam-se fregueses, afeiçoavam-se, a procuravam assim que entravam na loja. Luiza tinha um faro para perceber quando alguém tinha gostado de um produto mas hesitava, sem dinheiro suficiente para levá-lo. Luiza dava um jeito, Luiza tinha um jeito. Eis aí um dom que Luiza Helena tem em comum com a tia: sabe fazer, veloz, a leitura psicológica de seu interlocutor, identifica o desejo do outro. E o desejo do freguês, lembre-se, é sempre uma ordem.

Irmã mais velha, Jacira guardava uma certeza íntima sobre o sucesso de Luiza, sabia que ela tinha futuro, porque não descuidava do presente. Mas Jacira tinha algo precioso que faltava um cadinho a Luiza: inteligência emocional. Lidava com o brilho da irmã sem ciúmes ou competição. Disse à filha mais de uma vez: "Luiza

Helena, cola na sua tia Luiza, que ela vai lhe ensinar muita coisa".

Sábio conselho. Hoje pode parecer corriqueiro, mas na metade do século XX eram raras as mulheres como tia Luiza, que abriam seus caminhos para empreender. Seu brilho podia ameaçar, cegar.

Na Hygino Caleiro, novamente tia Luiza ganhou a atribuição também de compradora, função que pela segunda vez iria mudar sua vida.

Luiza interagia com muitos fornecedores. A procura era grande, todos queriam vender seus produtos na Casa Hygino. Entre esses vendedores, um moço de São Carlos circulava pela região vendendo de tudo. Dois anos mais velho que Luiza, era caixeiro-viajante, figura emblemática no interior do Brasil naquele início dos anos 1950. A industrialização engatinhava e, aos poucos, novos manufaturados começavam a circular pelo território nacional. Quem se aventurava a levar mercadorias de uma região para outra eram mascates, como o moço de São Carlos, Pelegrino José Donato. Quando ele passou por Franca... adivinhe? Encantou-se pela melhor vendedora da cidade...

O programa mais constante do casal de namorados era sair, todo fim de semana, para vender artigos nas cidades vizinhas. Negociavam de materiais de construção a roupas e perfumes, atendiam ao gosto e às necessidades do freguês. Depois de essa sociedade comercial vingar, em 1956 tomaram a decisão de selar a sociedade matrimonial. O vestido de noiva foi presente da família

Caleiro. O início da vida de casados foi em São Carlos, onde morava a família do noivo. Mudaram-se para lá a pedido do pai de Pelegrino, Gregório Donato, mas não ficaram mais de um ano – Luiza sentia falta de Franca. Era sua cidade, onde tinha amizades, boas relações sociais e, mais importante, onde havia as melhores oportunidades de empreender.

De volta a Franca, Luiza ficou sabendo que havia uma loja à venda: A Cristaleira, especializada em "presentes finos", um similar mais modesto da Casa Hygino Caleiro. A maior virtude d'A Cristaleira era a localização nobre, no centro. Luiza não queria perder a chance. Empenhou o que conseguiu juntar com o marido Pelegrino e deu a entrada para comprar a loja. Era tudo o que tinham, o dinheiro da entrada. Para honrar as outras parcelas, não haveria hora de descanso, folga ou distração. Os dias seriam mais longos e as noites mais curtas. Entre tudo ou nada, tia Luiza estava disposta a tudo.

LUIZA E A AMIGA LEDA
(À ESQUERDA),
TIA LUIZA E PELEGRINO.

CAPÍTULO 3:
"SOMOS TODOS VENDEDORES!"

    Luiza e Pelegrino se dividiram em duas frentes. Para bancar o custo fixo, o marido manteve a lida de caixeiro-viajante. A esposa chamou para si a missão de tocar a loja e crescer.

    O Brasil de 1957 era favorável a iniciativas como a deles. O eixo do país deslocava-se rápido, mudanças demográficas radicais, a população urbana se tornando majoritária. Na região de Franca, dois terços da população ainda viviam no campo, mas já convergiam para o centro de gravidade urbano. Dessa dinâmica surgiram novos hábitos, como o novo *footing*, não mais na praça – a moda passou a ser bater pernas pelas lojas de departamentos. Em seus corredores, brilhavam novidades como liquidificadores, aspiradores e enceradeiras.

    O marketing desabrochava. O Brasil de Juscelino Kubitschek inspirava Franca em direção à modernidade. A cidade ganhava uma aura de riqueza, inaugurando o seu primeiro arranha-céu e consolidando-se como polo da indústria de calçados.

"SOMOS TODOS VENDEDORES!"

Aos 30 anos, atenta aos novos ares, novos tempos, Luiza estava disposta a criar um espaço que captasse e transmitisse esse espírito. A Cristaleira soava como um nome envelhecido, era preciso encontrar o apelo contemporâneo de uma palavra estrangeira, de fácil apreensão. Em vez de "loja" ou "casa", algo como... "magazine"! Sim, magazine, palavra cosmopolita, com charme francês na sonoridade, também presente na língua inglesa. Faltava o nome próprio, Magazine... o quê?

Cabeça de vendedora, tino publicitário, Luiza convocou a população para ser sua sócia na novidade – os francanos seriam os padrinhos a batizar o magazine. A promoção se deu no principal veículo de Franca, a Rádio Hertz. O ouvinte que sugerisse o nome mais votado ganharia um sofá. Luiza explorou sua popularidade pessoal já conquistada e o concurso decolou. Entre sucessos de Nelson Gonçalves, Elizeth Cardoso, Doris Day e Elvis Presley, e mais de mil cartas com sugestões, a audiência consagrou o nome da mulher por trás do empreendimento: nada mais justo que chamá-lo de Magazine Luiza. Era 16 de novembro de 1957.

Abraçada pela cidade, Luiza deu a vida para dar vida à pequena loja tomada de balcões. Ficava na rua Voluntários da Franca, assim chamada em homenagem aos nove francanos que morreram na Revolução Constitucionalista de 1932. Luiza e Pelegrino não tinham trégua. Encaravam concorrência grande, como Arapuã, Casas Bahia, Modelar, Casas Buri e outras. Nomes de peso, com verba publicitária distribuída por jornais, revistas e rádios.

Para manter o barco à tona, Luiza trabalhava mais de dezesseis horas por dia, sete dias por semana; sua folga não durava mais que a tarde de domingo. Fazia tudo: limpava a loja, montava a vitrine, organizava o estoque, recebia as mercadorias... Luiza esticou tanto a corda que um dia desmaiou e dormiu por vinte e quatro horas.

Sem capital, sacou um jeito de fazer marketing sem gastar. Luiza teve a ideia de oferecer cursos sobre eletrodomésticos. De graça. Nas aulas, os alunos – alunas em sua maioria – aprendiam a usar as maravilhosas facilidades que surgiam, como máquinas de costura, ferros elétricos, aspiradores de pó, enceradeiras, liquidificadores, batedeiras. O curso era dado na própria loja e, para atrair a freguesia, Luiza foi, de novo, propor uma aliança com a Rádio Hertz. A parceria entre a emissora local e o Magazine dura até hoje – o Magalu ainda é anunciante da Hertz. Mantém-se a tradição: toda manhã de segunda-feira começa com a voz de Marques, o gerente da loja Um, no microfone, divulgando, ao vivo, as ofertas da semana.

Luiza queria afirmar sua identidade: fazer da atenção ao cliente a marca da empresa. Ampliando o significado do verso do hino da cidade de Franca – *Labutando é que a todos ensinas* –, ela formou gerações de vendedores.

A profissão de vendedor tende a ser vista como atividade menor, coisa a se esconder. Tia Luiza sabia que quase todos que entravam no ofício justificavam-no como serviço temporário, circunstancial. Naquele início dos anos 1960, a maioria dos vendedores trabalhava para pagar dívidas ou bancar a preparação para concursos públicos. O nível de escolaridade era baixo, muitos nem tinham o ensino fundamental. Tia Luiza, porém, tinha o vendedor como a estrela, protagonista de sua empresa.

No futuro, sua sobrinha Luiza Helena iria nivelar o corpo de funcionários, atribuindo a todos o mesmo título, de honra: vendedor. Foi em reação a um conflito entre egos da gerência. Dois funcionários discutiram feio na presença dela. Luiza Helena aproveitou e deu mais um passo na transformação cultural que começava a bancar na empresa.

Telma Rodrigues, desde 1985 no Magazine Luiza, parceira e artífice de suas iniciativas pioneiras, hoje no conselho da empresa, lembra: "Ela começou a perceber que o vendedor tinha vergonha de ser vendedor. Houve uma discussão de um supervisor com um gerente e ela falou: 'Daqui para frente todos somos vendedores! Porque se é uma empresa de vendas, como não ter orgulho desse papel de vendedor?'". Dali para frente, todos levariam o mesmo crachá, com a palavra "vendedor".

Esse conceito "somos todos vendedores" impulsionou as vendas da empresa. E a equipe percebeu, segundo Telma: "Conseguimos fazer com que os profissionais do varejo fossem valorizados, começou essa escalada de valorizar o profissional da compra e da venda – criamos um plano de carreira vitorioso que funciona super bem até hoje. Os gerentes das lojas do Magazine Luiza são todos 'pratas da casa'. Muitos chegaram ao varejo sem destino, como um trabalho de passagem, acabaram fazendo carreiras, chegaram a cargos muito altos".

**A CRISTALEIRA,
EMBRIÃO DO MAGAZINE,
FIM DOS ANOS 1950.**

CAPÍTULO 4:
A MATRIZ

Um dia típico no Magazine Luiza de tia Luiza começava com a dona recebendo os funcionários na expedição. Se alguém entrasse sem dar bom-dia, Luiza chamava o colaborador de volta, mandava-o entrar novamente e esperava pelo bom-dia, nos conformes.

Antes de as portas se abrirem, ela fazia a última revisão geral, conferia se tudo estava em ordem, e o principal: se a loja estava limpinha... Atrás das melhores fontes de informação, Luiza recorria a uma tática particular. Puxava prosa para arrancar revelações. Virou-se um dia para uma faxineira e perguntou: "Como eu conheço uma boa faxineira?".

"É simples, dona Luiza. É só pegar um papelzinho, escrever a data, enrolar e deixar atrás da porta. Aí, depois de uns dias, a senhora chega, confere e fala: 'Aqui ó, esse papelzinho tá aqui há tantos dias porque você não limpou'". Luiza sabia aprender com todos, do prefeito à faxineira.

Aberta a loja, Luiza ia para a área administrativa e dedicava-se a fazer cinco ou seis coisas ao mesmo tempo. O sobrinho Donizetti admirava-se da capacidade da tia de ouvir e responder a um sem deixar de atender a outro, ao telefone…

"Uma vez, ela estava num corredor, com as duas mãos ocupadas, tentei passar atrás dela. Não tinha como ela me parar. Sabe o que ela fez? Me deu uma 'bundada' e perguntou: 'Aonde você vai?'. 'Tô indo ali', respondi. 'Não, então vem cá, vá ao banco e pague umas contas pra mim'."

"Fui e quando voltei, tia Luiza disse: 'Está errado!'. 'Errado? Tem nada de errado, não…', falei. 'Tem sim. Dá uma olhada e depois você me procura', ela disse, me mandando embora. Na hora, fiquei surpreso, mas depois de rever tudo, voltei a tia Luiza e disse: 'Não tem nada errado!'."

A patroa saboreou o momento e respondeu, sorrisinho nos lábios: "Agora gostei, falou com firmeza…". Mas, em seguida, do nada, voltou atrás: "Tem algo errado sim. Você levou clipes e elástico e não trouxe de volta. O banco é rico, não precisa disso. Você tem que fazer o contrário, tem que trazer isso de lá para mim".

"No outro dia, fui ao banco e, na hora de pagar, passava os papéis e tirava clipe por clipe; depois, dava o dinheiro e recolhia o elástico. No final, virei para o caixa e perguntei: 'Você não tem uns elásticos pra dar 'pra nós'?' O bancário se agachou, encheu a mão, com gosto, pegou um 'tantão' de elástico, me deu e ainda perguntou: 'Tá 'bão' assim?' Voltei a Tia Luiza e dei tudo pra ela, elásticos e clipes. Só aí ela virou pra mim e respondeu: 'Ah! Hoje tá certo!'."

A MATRIZ

■ ■ ■

Assim que os fregueses começavam a circular no interior do Magazine, Luiza não admitia a ideia de que alguém viesse à loja só para olhar. Se entrou, quer comprar alguma coisa, mesmo que ainda não saiba o quê. Tia Luiza não concebia que o cliente saísse sem gastar. Várias vezes, se ele fosse embora sem levar nada, mandava o vendedor ir atrás e, em alguns casos, buscar o freguês já dentro da loja do concorrente.

Cliente resgatado, tia Luiza aplicava uma de suas técnicas, que quase sempre dava certo. Por exemplo, se ele quisesse uma televisão, ela oferecia o aparelho da marca X 5% mais barato do que o concorrente. Porém, o objetivo não era vender o modelo X e sim um outro, mais caro, da marca Y. Para realizar a venda, o trunfo era conceder um bom prazo de garantia e a valorizada assistência técnica. Em geral, funcionava e, no final, Luiza ainda concluía: "Vamos te vender a TV da marca Y porque você merece o melhor!".

Luiza sempre encontrava uma conexão com cada freguês. Parecia ter um banco de dados na cabeça, sabia um pouco da origem de cada um, fazia com que, dentro do Magazine, todos se sentissem únicos. Era comum ela chegar para um vendedor que conversava com um cliente e dizer: "Olha, o seu João é muito amigo nosso, da família. Conheço há muitos anos. Esse pode ter crédito, por favor, trate ele muito bem".

Quando dizia isso para um vendedor ou para um gerente, Luiza não estava só demonstrando atenção especial àquele cliente conhecido de anos. Estava fazendo um freguês que iria espalhar a palavra, falar bem dela, recomendá-la. Ao mesmo tempo, atribuía a seus funcionários responsabilidades de dono, com a prerrogativa de conceder ou não um crédito aos compradores.

Com essa atitude, Luiza desenvolvia, esclarecia e transmitia a cultura do Magazine. Toda empresa tem alma, a cultura é a parte visível dessa alma. Sua sobrinha herdou e personificou essa alma, levou a cultura original da lojinha de Franca para o Brasil e o mundo. Luiza Helena desenvolveu ideias originais e surpreendentes, mas elas não teriam repercutido e funcionado se fosse outra a pessoa a comunicá-las. Quando Luiza Helena fala, todo mundo escuta.

PEQUENO GLOSSÁRIO DE LUIZA HELENA

COMUNICAR NÃO É O QUE VOCÊ FALA. É O QUE O OUTRO SENTE.

- 1: LEVAR NA MAIS ALTA CONTA A SENSIBILIDADE DE SEU INTERLOCUTOR, SEM SE SENTIR RESPONSÁVEL POR ELA.
- 2: SER O MAIS CLARO POSSÍVEL, MAS NÃO DESCONSIDERAR AS SOMBRAS.
- POR EXTENSÃO: COMUNICAÇÃO É UMA VIA DE DUAS MÃOS.
- SINÔNIMOS: DIÁLOGO, ENCONTRO
- ANTÔNIMO: INDIFERENÇA.
- ADVERTÊNCIA: COMUNICAR É A BUSCA INCESSANTE DE EMPATIA.

CAPÍTULO 5:
A COMUNICADORA

"Há uma providência especial na queda de um pardal.
Se tiver de ser agora, não está por vir;
Se estiver para vir, não há de ser agora;
E se não for agora, mesmo assim há de vir.
Estar pronto é tudo."

Hamlet, ato 5, cena 2

Dizer que Luiza Helena pensa alto seria impreciso.

Vamos tentar de novo: quando fala, Luiza Helena organiza o pensamento que vinha tomando forma em seu íntimo. Hum, isso, talvez, sim, talvez seja por aí, pode ser, quase isso. Vamos olhar para ela de novo.

Luiza não só fala rápido, ela escuta rápido. Antecipa-se a quem está falando com ela, capta o "não dito" muito rápido. Quando se conversa com Luiza, tem-se a impressão de que ela entende e responde ao mesmo tempo – mais do que respondendo ao entender, entendendo ao responder. Se o outro lado se alongar em preâmbulos, ela não se avexa em cortar a fala. Quem a conhece desde a juventude, como a psicóloga Janisse Mahalem Lima, assim a explica: "Ela já sabe o que você vai falar e começa a responder. A Psicologia diz que a intuição é basicamente isso, você perceber as entrelinhas antes das outras pessoas e ter uma visão global do que está acontecendo".

O corpo de Luiza Helena vibra leve e suavemente. Não importa se mais gordinha ou menos, movimenta-se com aparente facilidade, é ágil. Seus olhos são inquietos sem aflição, piscam entre a calma e a pressa. Melhor: o olhar dela não esconde sua atenção oscilante. Fixa os olhos no interlocutor ou no objeto em questão apenas o tempo necessário para decifrá-lo. Faz a leitura psicológica do sujeito, objeto ou ambiente em segundos ou minutos. Depois, dá atenção mais por educação, já elaborou seu diagnóstico.

Sim, um tantinho impaciente, a cabeça já em outros lugares, alguns lances à frente no xadrez social. Sua avaliação, opinião ou sugestão já estão prontas, mas ela concede em esperar o momento certo de falar. E é quando fala que desenvolve seu raciocínio, em links e hyperlinks mentais, catando palavras no caminho, remontando e inventando algumas se preciso.

Uma das amigas mais chegadas ao coração de Luiza Helena, mestre na arte da comunicação e expressão, a jornalista e apresentadora Ana Paula Padrão descreve esse comportamento: "Não sei se vi a Luiza Helena 100% relaxada alguma vez na minha vida. Relaxada no sentido de não estar prestando atenção. É dela estar prestando atenção o tempo inteiro – não que seja tensa e nem que não relaxe. É parte de quem ela é prestar atenção nas situações o tempo inteiro. Isso a define. Está sempre procurando alguma coisa. Quando encontra, ela se sente responsável por aquilo e passa a multiplicar aquela ideia de uma maneira muito eficiente. É um megafone".

Isso em conversas ou reuniões privadas, e também em eventos públicos. Desabrocha diante de câmeras ou auditórios. A plateia lhe faz bem e ela retribui, fazendo bem à plateia. Parece ter antenas que captam e decodificam a frequência da ocasião, as expectativas no ar. Não se prepara, no sentido clássico do "dever de casa" – está pronta. Como no lindo verso de Shakespeare citado na abertura deste capítulo, Luiza Helena intui certo que "estar pronto é tudo".

Mais da observação afetuosa de Ana Paula: "Ela não sabe como faz isso, não tem a menor ideia, mas ela entra num lugar com dez, quarenta, quatro mil ou 150 mil pessoas e é capaz de, em poucos minutos, sem conversar com ninguém, identificar o que está acontecendo ali, qual o clima, o grau de expectativa gerado pela presença dela. Se tem alguém falando antes, ela ouve com bastante atenção e sabe exatamente qual vai ser sua resposta àquele discurso. Pode ser um discurso 100% científico, ela vai achar alguma coisa ali, naquela lógica, no jeito de falar, numa gíria que a pessoa tenha usado. Para, em seguida, chamar muito mais atenção ao entregar um discurso brilhante, com atitude, com posicionamento, aquilo de que aquelas pessoas precisam naquela hora. Ela é muito boa nisso".

Luiza Helena devota particular admiração a Ana Paula Padrão pela capacidade que reconhece nela de "decodificá-la".

"Luiza às vezes fazia alguma coisa e depois a gente saía junto e eu dizia: 'Nossa, Luiza, isso que você fez agora é incrível por causa disso e daquilo. Isso que você fez agora vai deixar uma ferida aqui, ali'. E ela, surpresa: 'Como você sabe disso?'. 'Luiza, eu vi você fazendo'. Então, Luiza dizia: 'Você me decodifica'."

O que Ana Paula sabe muito bem, por sensibilidade e experiência, é que, para interpretar as expectativas e desejos latentes dos outros, há que ter genuíno interesse no ser humano, algo impossível de afetar. Ou melhor, você pode até fingir curiosidade pelo próximo, mas não será bem-sucedido na comunicação se o interesse não for real, profundo. É coisa que se tem ou não tem, por determinação nata e vivência, que pode ser mais ou menos desenvolvida.

Essa profunda curiosidade pelo ser humano foi testemunhada várias vezes por Ana Paula Padrão: "Quando se começa a conversar com alguém, pode acontecer qualquer coisa. As pessoas defensivas não mergulham nas outras, trazem uma camada de armadura, uma couraça. É assim que a gente se comporta socialmente, estabelecemos um diálogo no limite do que queremos extrair de uma pessoa e da relação que se quer ter com ela. Luiza não. Não importa qual relação terá, se profissional, amizade, ou de comando. Não importa qual relação que ela vai estabelecer, ela mergulha naquela pessoa".

Luiza Helena nasceu com essa característica, que foi aperfeiçoada pela sua dedicação ao comércio. Relações comerciais são fundadas no desejo. Há o desejo de ter, presente em todas as partes envolvidas, e de trocar o que se tem. Há os interesses motrizes, conscientes ou não, mais assumidos ou menos, há a busca do encontro – em conflito não se faz negócio.

O comércio é o império das emoções, para desbravá-lo melhores são as armas da Psicologia. Não por acaso, foi essa a carreira de escolha da estudante Luiza Helena. Há quem tente explicar o extraordinário talento de Luiza para relações humanas e sociais atribuindo a ela poderes mágicos, inexplicáveis, chamando a intuição de "abracadabra".

O que é a intuição? Do dicionário *Houaiss* vêm algumas acepções. Para a Teologia, pode ser resumida a uma "visão clara e direta de Deus, como a que possuem os bem-aventurados". Já a Filosofia tem tantas definições quanto escolas filosóficas, mas em resumo, seria uma "forma de conhecimento direta, clara e imediata, capaz de investigar objetos pertencentes ao âmbito intelectual, a uma dimensão metafísica ou à realidade concreta". Sem falar na lista de sinônimos: apercepção, bacorejo, baque, faro, instinto, nariz, olho, palpite, perspicácia, pressentimento, suspeita, tino...

Podemos concordar que intuição é o que se distancia do cérebro cartesiano e se aproxima do que se convencionou chamar de "inteligência emocional", um reservatório de saber inconsciente, que Luiza tem de sobra. Sim, há mistérios na elucidação do que seja intuição, mas não precisa ser coisa do outro mundo. Para Ana Paula Padrão:

"Intuição é experiência acumulada em algum lugar do seu cérebro e que não é consciente. Há pessoas do mercado financeiro que acordam e, sem nenhuma evidência lógica, apostam num papel ou na alta de uma moeda e ganham. Sorte? Não! Elas trabalham vinte anos naquilo e acabam entendendo inconscientemente mensagens que estão ali, defasadas, que não são lógicas. Acho que tem uma parte nossa que compreende mensagens não no plano consciente, mas no inconsciente. Se você pedir para essas pessoas explicarem por que fizeram aquilo, não vão saber explicar. Essa é Luiza Helena. Ela tem um grau de sensibilidade, é tão experiente no trato com pessoas e já passou tantas situações de vida que consegue trazer isso intuitivamente. É uma lógica perfeita, apenas não consciente."

Colaborador, admirador e amigo de Luiza Helena, Marcelo Silva, executivo excepcional, parceiro de momentos cruciais da trajetória do Magalu, arrisca uma explicação mais neurológica: "O que chamam de intuição, eu chamo de inteligência neural. A pessoa, desde pequena, vai colocando um monte de coisas em seu cérebro, que é muito mais do que um computador. Então, ela diz: 'Eu vou fazer isso', alguém pode pensar que é uma intuição. Mas na verdade, o nome acertado disso é inteligência neural, que vai se acumulando".

Marcelo esteve ao lado de Luiza em situações-limite da vida dela e da empresa, em que ela tomou decisões imprevisíveis, contrárias ao senso comum e a todas as projeções e combinações anteriores. Com essa vivência, ele prefere interpretar os lances de gênio de Luiza Helena, suas tiradas e determinações desconcertantes, não como coelhos tirados de chapéus da intuição, e sim como algo alojado dentro da cabeça da gente: "Está no fundo da cabeça, está lá nos neurônios. Essas pessoas são privilegiadas".

CAPÍTULO 6:
TRADUZIR-SE

Atribui-se a São Francisco de Assis a frase: "Comece fazendo o necessário, então faça o possível e de repente você estará fazendo o impossível".

Tão inspiradora quanto provocadora, a frase arrebatou Luiza Helena a ponto de ela apropriar-se das palavras do santo como se fossem suas, e as reproduz com frequência. Muita gente acredita até que a frase é dela. Luiza repete a frase e repete que não inventa nada, subestimando, elegante, sua inteligência com uma enunciação inteligentíssima: "As pessoas dizem que eu sou inteligente, mas não é verdade. O que eu sei é somar QIs".

A frase de São Francisco complementa o pensamento de Luiza porque, em sua vida, ela, sim, já fez o necessário e tornou possível o que se julgava impossível. Oitocentos anos antes de Luiza, São Francisco de Assis já traduzira seu

---

PEQUENO GLOSSÁRIO DE LUIZA HELENA

COMECE FAZENDO O NECESSÁRIO, ENTÃO FAÇA O POSSÍVEL E DE REPENTE VOCÊ ESTARÁ FAZENDO O IMPOSSÍVEL. (COAUTORIA COM SÃO FRANCISCO DE ASSIS)

- **1:** SENTIMENTO SAGRADO DA VIDA.
- **2:** ANSIOLÍTICO, TRANQUILIZANTE.
- **POR EXTENSÃO:** "TENTE OUTRA VEZ", "NÃO DESISTA NUNCA", DECIDA O QUE LHE É MESMO NECESSÁRIO.
- **SINÔNIMOS:** BOA VONTADE, FORÇA DE VONTADE.
- **ANTÔNIMO:** CINISMO.
- **ADVERTÊNCIA:** LUIZA REPETE TANTO ESSA FRASE QUE NA INTERNET ÀS VEZES LHE ATRIBUEM A AUTORIA. APURAMOS QUE SÃO FRANCISCO NÃO SE INCOMODA – AFINAL, ELA TRANSFORMA A IDEIA EM AÇÃO E DIVULGA A SANTA CAUSA PELO EXEMPLO.

espírito. Ela adora ser "traduzida", precisa disso, pinça "traduções" onde quer que seja, em autores consagrados ou anônimos.

Sem alardes mitificadores – ela tem saudável repulsa a mitificações em geral e idealizações em particular – Luiza Helena se dedica ao autoconhecimento. Não se permite ser reduzida a explicações só racionais, nem ter seu perfil psicológico expresso em equações matemáticas ou fórmulas de autoajuda. Mas procura se entender, ou mesmo se reconhecer, nas conclusões de especialistas no assunto.

Talvez por ter desbravado um ambiente de negócios em que a virtude da intuição era descartada como característica "feminina" – tantas vezes a única pessoa sem gravata à mesa de reuniões na hegemonia masculina do universo dos executivos varejistas –, ela sabia não usar a palavra intuição. Deu seu jeito, um jeito feminino de administrar, unindo racional a emocional, encontrando caminhos e atalhos por onde circular – e decidir.

Grandes craques, superdotados por natureza, como Pelé e Michael Jordan, ficaram famosos por treinar mais do que todos em seus times. Ao dom excepcional acresciam dedicação excepcional, fazendo sua curva de aprendizado decolar a partir de um patamar já bem mais elevado que a média. Nunca pararam de evoluir, por isso tornaram-se fenômenos.

A analogia serve para descrever Luiza Helena, pois mesmo tendo sabido

---

NÃO SOU INTELIGENTE, MAS SEI SOMAR QIS.

- **1: LIDERAR.**
- **2: CAPACIDADE INTUITIVA, SENSIBILIDADE.**
- **3: ATO DE OBSERVAR O OUTRO COM ATENÇÃO.**
- **POR EXTENSÃO: FORMA DE ESCAPAR DE ELOGIOS FÁCEIS E BAJULAÇÃO.**
- **SINÔNIMOS: AUTODEFESA, ATO DE ESCORREGAR, DESCONVERSA.**
- **ANTÔNIMOS: SOBERBA, SISUDEZ, MAU HUMOR.**
- **ADVERTÊNCIA: NA PRÁTICA, É SABER TRABALHAR EM EQUIPE.**

de seus talentos únicos, que não via noutras pessoas, ela sempre procurou entender como funcionavam esses talentos, e por quê. Desejava não apenas identificar comportamentos e procedimentos empresariais que combinassem com seu modo instintivo de gestão pessoal – quis, sempre, aprender mais e mais.

No início dos anos 1990, quando chegou ao comando da empresa quebrando paradigmas e paredes – e quando digo que derrubou paredes, estou sendo literal –, causou um choque que surpreendeu a todos e assustou a muitos.

A necessidade e o desejo de explicitar seu estilo de comando singular e transmiti-lo com mais clareza aos colegas, somados à vontade de metodizar sua aparente ausência de método, levaram Luiza a procurar um dos profissionais mais destacados da comunicação empresarial – Oscar Motomura, criador da consultoria empresarial Amana-Key, em São Paulo.

"Ela costuma dizer que não é inteligente, até para se colocar democraticamente diz que é intuitiva. Que está 'intuindo'. Mas quando a gente fala em intuição, palavra gasta, pode parecer que veio do nada... Sendo ela uma mulher, imagino que isso ainda viesse com uma carga adicional: 'O homem é inteligente e a mulher, intuitiva'. Como se não fosse inteligência, como se não tivesse um fundo, um reservatório de conhecimento a acessar", diz Motomura.

Sempre que alcança uma meta, ocasiões em que costumam apontá-la como exemplo de sucesso, Luiza Helena arruma um jeito de humilhar seu próprio ego e boicotar as chances do orgulho, passa a rastrear ameaças futuras. Telma Rodrigues, que esteve à frente dos Recursos Humanos do Magazine durante vinte e cinco anos, descreve esse padrão: "Ela tem muito mais medo dos momentos bons, de calmaria, do que das dificuldades. Quando uma empresa vai mal, todos se juntam, família, funcionários, para salvar aquilo – todo mundo ligado no 220. Já quando o barco entra no mar tranquilo, dia de sol, nenhuma nuvem, está tudo ótimo... foi aí que o Amyr Klink quase afundou o barco, no pior momento da sua primeira viagem. Ele nos contou isso numa palestra. Então, a gente não esquece esse exemplo, é na calmaria que mora o maior perigo".

Talvez por causa desse sábio hábito de não esquecer que tudo é transitório, Luiza, pouco depois de assumir a presidência do Magazine, inscreveu-se, como se fosse mera iniciante, no programa de Oscar Motomura. Desde os anos 1970, ele promove treinamentos pouco tradicionais, mas aprofundados, nas áreas de liderança, identidade corporativa, gestão inovadora e integração.

"Eu já escutei de um presidente de empresa que ele havia compartilhado um problema sério com seu vice-presidente, alguém com quem trabalhava junto há quinze anos e, na hora, sentiu que ele tentava tirar vantagem daquela situação", conta Motomura. "Acho que nada assim jamais vai acontecer com Luiza, porque ela percebe o que está acontecendo ao seu redor e imediatamente trata do assunto, dizendo algo como 'você está querendo me manipular?'. Luiza arrisca, se expõe, mas aprende com isso e sabe usar esse aprendizado acumulado a seu favor."

Desde que conheceu Luiza, há trinta anos, Oscar a acompanha de perto, alguns o consideram seu guru. Ambos rejeitam o termo, sem negar que mantêm uma conexão pessoal forte e inspiradora. Para Oscar, o fato de Luiza ser uma pessoa extremamente autêntica e espontânea a faz destoar do ambiente empresarial. Ele lembra de quando estava em meio a um treinamento de APG, o programa de gestão avançada de sua consultoria, e sua assistente apareceu com o celular, dizendo que Luiza precisava falar com urgência. Oscar esperou o intervalo e retornou a ligação.

"Oi, Luiza, aconteceu alguma coisa?"

"Oscar, estou no meio de uma reunião do Magazine e quero colocar 'qualidade' como a coisa mais importante do ano que vem. E a turma está falando que esse é um conceito ultrapassado… O que você acha?"

"É, está ultrapassado mesmo, porque cada um interpreta qualidade do seu jeito."

"O que eu faço então, Oscar?"

"O que você quer, Luiza?"

"Quero que seja o melhor do melhor na vitrine, o melhor do melhor no atendimento."

Oscar calou-se por um breve instante, para sugerir: "Luiza, dá uma nota. Nota todo mundo entende. Você quer nota dez?".

Luiza fez silêncio por instantes.

"Não, quero mais…"

Oscar suspirou e, com um sorriso na voz, disse: "Então, tá bom, coloca aí nota doze".

O silêncio seguinte durou agora longos segundos.

"Obrigada, Oscar."
Luiza desligou o telefone. E adotou a nota doze.
Para Motomura, a prática de Luiza Helena não trata de evitar os erros, nem de querer acertar sempre, muito menos de buscar a perfeição. A questão é estar presente e mergulhar no que se apresenta.
"Luiza é muito espiritualizada. Não é religião. Ela tem uma série de anotações nos caderninhos brancos dela que é uma conversa constante que mantém com ela mesma. Às vezes, quando a gente sente alguma coisa meio estranha, vale se perguntar, escrever a pergunta: 'qual é essa sensação estranha que estou sentindo?' Vai lá para o papel e escreve a pergunta: 'que sensação é essa?' E começa-se a escrever, a responder à pergunta que se colocou. Depois de alguns dias, olha-se o que está escrito: 'eu que escrevi esse negócio?' Dá-se então esse encontro consigo mesmo, como se você conversasse com a essência de seu ser – esse é o lado espiritual, que tem muito a ver com intuição e que a mente racional atrapalha. A intuição vem de repente, na hora que alguém faz uma pergunta sobre algo que você nunca pensou a respeito e, de repente, lida com aquilo e fala uma série de coisas que fazem sentido – coisas que baixam naquela hora, como o próprio Einstein dizia que baixavam para ele. Tem gente que não acredita nisso, o que é algo limitante. A Luiza é solta em relação a isso, por isso tem umas sacadas bem geniais."
Márcia Rodrigues, concunhada, amiga e colega, diz que essa agilidade, a "ginga" mental de Luiza são a base de sua atitude propositiva, parte fundamental da

cultura da empresa: "Ela não tem medo. Diz: 'Eu sou tão do bem, por que alguém vai me fazer mal? Eu posso aprender...'. E isso ela ensina pra gente. O movimento, sabe? Dê o passo. Não fique parado esperando. Ela não gosta, não fica 'velando o morto', busca o diferente, o que pode fazer. Trata-se disso, de fazer a nossa parte, essa coisa que a Luiza fala sobre nosso país. Nós somos bons. O que a gente pode fazer? É isso que me motiva. Hoje eu já não tenho medo de errar. Ela sempre me ensinou: cai, levanta, vai embora. É isso, é muito forte".

Ou, na voz da própria Luiza: "Não tem importância nenhuma errar, o que a gente está fazendo é muito exercício para não errar a mesma coisa várias vezes. É para errar poucas vezes as mesmas coisas, para dar chances de novos erros. Se você continua errando sempre as mesmas coisas, não dá chance a novos erros. Então, não ousa mais. A gente tem trabalhado muito para dar crédito a novos erros e não ficar repetindo os mesmos erros".

Hoje, Oscar Motomura entende bem a cabeça de Luiza, aprende com ela: "Ela se mostra como é. Não esconde quando não sabe algo, trata logo de saber". Mas se Motomura é até hoje, para Luiza Helena, uma referência de teórico que ajuda na prática, ele não foi o primeiro. Luiza costuma preservar alguma coisa de todas as experiências que vive, manter vivo algo mais que apenas a memória, incorporar essas marcas intelectuais em sua prática profissional e cidadã. Como, por exemplo, conserva e pratica até hoje muito do que aprendeu em seu mergulho adolescente na "cibernética social".

LUIZA, 20 E POUCOS ANOS.

CAPÍTULO 7:
CIBERNÉTICA SOCIAL

Pedro – *Você se torna adulta e ganha uma identidade profissional em plena ditadura, a partir de 1968, quando o tempo fecha completamente. Você sentiu pressões, constrangimentos?*
Luiza – *Sabe por que não senti? Eu sentia a dor do país, eu detestava. Mas é igual a agora, eu procuro muito ficar fazendo nas beiradas. Vou fazendo, não fico esperando alguém me autorizar. Também não bato de frente quando não precisa. E não bato toda hora, que não adianta.*
Pedro – *Você teve amigos ou conhecidos que se envolveram com política ou que tiveram que sair do Brasil? Alguma coisa assim?*
Luiza – *Tive, lógico. Não tão de perto, mas tive e sofri muito. Ficava muito mal. Depois, nem conseguia assistir aos filmes sobre a época. Eu não me conformo com isso.*

Desde os primeiros anos de escola, Luiza Helena sempre teve gosto de falar em público. Na adolescência, encontrou palco, plateia, eco e inspiração em reuniões da juventude católica francana.

Naquele fim dos anos 1960, ganhava força, no interior de São Paulo, o conceito de Treinamento da Liderança Cristã, criado pelo padre Haroldo Rahm, de Campinas, com o propósito inicial de formar novos fiéis. O TLC, como era chamado, atraiu uma rapaziada francana cheia de vontade de fazer a diferença no mundo.

Um certo casal de namorados estava entre eles, Luiza Helena e Erasmo. Eles começaram a se reunir com outros jovens na faixa dos 20 anos e a coordenar encontros com adolescentes. O movimento tornou-se a Pastoral da Juventude de Franca, com o apoio de núcleos da Igreja Católica, sem compromisso firmado com evangelização. A ideia era discutir de tudo, captar as transformações do momento e partir para a ação.

"Não eram bem grupos católicos, não tínhamos que prestar conta pra Pastoral. Através da religião, reuníamos as pessoas para conversar, ler, estudar... e fazíamos muitas relações. Eu era muito engajada e o Erasmo sempre muito amoroso", conta Luiza. Frequentadora dos círculos de reflexão, a amiga Eliane Querino, madrinha de Luciana Trajano, lembra que, bem a seu modo, Luiza não respeitava tabus: "Luiza e Erasmo traziam temas do dia a dia, tudo o que pudesse despertar interesse na gente. Falavam até sobre sexo e relacionamentos. Também líamos o evangelho para interpretar os ensinamentos. Era muito bom".

Além de reuniões regulares nas casas dos participantes, havia encontros de fim de semana no mosteiro da cidade mineira de Claraval, a pouco mais de 20 quilômetros de Franca. A rapaziada escutava seus líderes e se punha a debater, animada. "Era um espaço livre, no sentido de entender e aceitar uma vivência ecumênica, entre todos, por isso atraía os jovens", conta Ana Rizzo, líder de grupos. Ana se lembra de que, já nessa época, não eram poucas as pessoas que paravam para escutar quando Luiza abria a boca, sempre interessadas no que ela tinha a dizer: "As conversas que ela conduzia eram disputadas. Muita gente se inscrevia para ouvi-la falar".

A desenvoltura de Luiza ressaltava, era o lado agitado de um jovem casal que parecia ter fina sintonia. Erasmo, mais calmo, gostava de ficar na retaguarda, e todos os que conviveram com os dois relatam esse encaixe.

Luiza e Erasmo lideravam um grupo de adolescentes. Essa mobilização jovem, é importante lembrar, coincidia com o auge da ditadura militar, repressão e luta armada, em plena guerra suja. Qualquer reunião ou associação de estudantes podia ser vista *a priori* como subversiva. A atmosfera política carregada foi desgastando a relação das bases jovens com as lideranças religiosas da região, mais conservadoras, e a Pastoral foi se enfraquecendo.

Com a evolução das circunstâncias políticas década adentro, os grupos foram se esfacelando, se reagrupando. Um grupo escolheu uma reorganização com vistas ao envolvimento partidário clássico. Foi a primeira vez que a política institucional se apresentou a Luiza Helena como uma possibilidade concreta. Um tio dela, Onofre, já tinha sido vereador em Franca, entre 1964 e 1972, mas era a exceção que confirmava a orientação suprapartidária da família.

Luiza e Erasmo estavam nos planos da turma ativista, que tinha criado sua própria agremiação, o Grupo Novo. Os anos 1970 avançavam e se, por um lado, os grupos católicos perdiam força e se desfaziam, a ditadura entrava em processo de abertura lenta e gradual. O Grupo Novo seria bem-sucedido em suas ambições, levando já em suas primeiras eleições, as municipais de 1975, seu candidato Maurício Sandoval Ribeiro à prefeitura. Alguns membros do grupo, incluindo Maurício, seguiram carreira na política.

Depois dessa primeira negativa ao canto das sereias da política partidária, Luiza seguiu seu rumo com Erasmo, os dois interessados ainda em reunir cidadãos em torno de debates sobre a cidadania. Além de se proporem a treinar e preparar adolescentes para o mercado de trabalho, queriam promover a reflexão sobre a sociedade brasileira e suas mazelas. Longe do marxismo, acabaram sendo apresentados, enfim, à cibernética social, por uma figura popular em Franca, o padre Juca.

A cibernética social é criação do sociólogo brasileiro Waldemar de Gregori, que buscou uma "terceira via" num mundo cindido entre capitalismo e socialismo. Gregori não era religioso, mas admirava a doutrina cristã por seus valores humanistas e propostas de convivência. Mais que uma teoria, ele quis criar algo que tivesse efeitos práticos, uma metodologia de trabalho que pudesse ser aplicada a todas as formas de organização social. Para comunidades afogadas em seus próprios problemas e distantes das esferas do poder, ele apresentava formas acessíveis de autogestão e emancipação.

A partir de uma certa Teoria da Organização Humana, formulada pelo antropólogo Antônio Rubbo Müller, Gregori sistematizou dinâmicas de grupo que permitissem às pessoas discutir os mais diversos assuntos. Treinadas por seu método próprio de comunicação, diagnóstico, planejamento individual e socioeconômico, aprenderiam a se autogovernar, tanto na esfera pessoal como na social.

Gregori singularizava a acepção do termo "cibernética" como o "estudo científico do sistema nervoso". De acordo com sua conceituação, é preciso levar em conta que o cérebro é composto de uma inteligência lógica e uma emocional, mas também de uma terceira: a pragmática, que estaria localizada entre elas. Parece meio esotérico, mas sua aplicação não era tão complicada, funcionava como princípio inspirador e exercício mobilizador.

Waldemar de Gregori partia da consideração de que as ciências humanas e sociais, se mantidas estanques e isoladas, fracassam quando aplicadas à vida prática. Ele se propunha a trançar, então, a interligação multidisciplinar para produzir mudanças reais, baseadas na ação.

Os encontros, todas as quartas-feiras, foram ganhando novas pautas, sempre sob a luz da cibernética de Gregori. Filosofia, economia e política eram assuntos frequentes nas reuniões, que duraram cerca de dois anos e mudaram para sempre a visão daqueles homens e mulheres.

"Aquela era uma época muito pragmática. Tudo tinha que ser funcional, e essas discussões realmente impactaram nosso jeito de atuar. A cibernética traz para as pessoas a consciência do papel delas na vida", afirma a educadora Ana Amélia Ribeiro, amiga de Luiza e Erasmo desde essa época. A identificação do grupo foi grande, não só com os estudos, mas com a convivência rotineira, já que todos passaram a se frequentar. Ana Amélia, que se tornou a madrinha do primeiro filho do casal, conta que Luiza não demorou a perceber que aquela experiência caberia perfeitamente no Magazine. "Ela levou a cibernética para a empresa e passou a organizar treinamentos para os funcionários. É preciso trabalhar muito, ela repetia, não só para ganhar dinheiro, mas para mudar o mundo. Foi ótimo, porque a cibernética demonstra isso na prática."

Essa filosofia de relações humanas aplicada na gerência prática causou uma pequena grande revolução no Magazine Luiza a partir de meados dos anos 1980. Telma Rodrigues participou desse processo formatando um Departamento de Recursos Humanos renovado: "A cibernética é uma ferramenta que o Magazine usa até hoje para eventos, reuniões... A partir dela, passamos a ter um foco bem definido nesses encontros, com rotatividade de liderança, e as pessoas aprenderam a liderar, distribuir papéis, negociar e tomar decisões em colegiado".

Pedro – *Essa consciência da importância central da gestão da marca... Como isso se consolidou para você? Desde cedo na cultura da loja já tinha isso? Como é que você entendeu?*
Luiza – *Eu sou inacabada, então estou sempre me renovando. Sempre tive um espírito de gestora. Só que faço uma administração caórdica, primeiro ponho em prática para depois ir consertando o que vou fazendo. O nosso diretor de tecnologia, que é um gênio, o André Fatala, me elogiou dizendo: "Você tinha que ter nascido na minha época". Meu espírito sempre foi de "startup". Em 1991, eu comecei a derrubar parede quando ninguém derrubava. Diziam que não ia dar certo... Quando se está antes de seu tempo, paga-se um preço muito alto.*

LUIZA HELENA, A NOVA SUPERINTENDENTE, 1991.

CAPÍTULO 8:
"O VAREJO VAI PASSAR POR UMA GRANDE TRANSFORMAÇÃO"

*"Não sei se vocês sabem,
mas eu queria ser a Oprah brasileira..."*
Luiza Helena, meio à brinca, meio à vera.

    Se as ideias da cibernética social estão presentes de maneira quase imperceptível nas práticas empresariais e políticas de Luiza, algo de muito evidente ficou da relação com Oscar Motomura: sua desenvoltura frente às câmeras. Luiza Helena gosta de dar entrevistas, é uma daquelas chances de ela organizar e explicitar seu pensamento.
    Em 1998, um vídeo gravado por Motomura tornou-se um marco na trajetória de comunicadora de

Luiza Helena. Quando lhe mostraram uma gravação realizada para que Luiza discorresse sobre os valores da empresa, ele reagiu: "Essa não é a Luiza Helena, está muito durinha. Acho que está lendo no teleprompter!". E estava!

"Esse vídeo tá muito ruim. Eu vou aí ajudar a refazer esse negócio", disse Motomura. Ele foi ao estúdio e posicionou a câmera para Luiza: "Eu vou lendo as partes do credo e você vai falando do seu jeito". O vídeo foi refeito algumas vezes, depois editado e saiu um vídeo completamente diferente, que se tornou referência.

A peça evidencia o potencial de telecomunicadora de Luiza, hoje mais que comprovado e reconhecido. Em 2021, Luiza Trajano tornou-se apresentadora de um *talk show* no YouTube, *Nunca pensei que…*, onde sua função "megafone" é turbinada. Ela traz pessoas em quem aposta, de ideias frescas, e também aproveita para soltar seu verbo fácil. É o que Luiza sempre fez e faz cada vez melhor: junta fios soltos, mobiliza e organiza tudo a partir de uma aparente desordem – tudo de propósito. É seu método "caórdico", combinação de caos e ordem. Ou melhor, como ela prefere dizer, é a inversão do lema da bandeira. Primeiro, o progresso, andar

---

PEQUENO GLOSSÁRIO DE LUIZA HELENA

A BANDEIRA ESTÁ ERRADA. O CERTO É "PROGRESSO E ORDEM".

- **1:** A ORDEM DOS FATORES ALTERA O PRODUTO.
- **2:** "TUDO MUDA O TEMPO TODO NO MUNDO."
- **POR EXTENSÃO:** "JACARÉ PARADO VIRA BOLSA".
- **SINÔNIMO:** CAORDISMO.
- **ANTÔNIMO:** TAXIDERMIA.
- **ADVERTÊNCIA:** LUIZA GOSTA DA BAGUNÇA DA DEMOCRACIA, NÃO TEM MEDO DE CONFUSÃO E DECLARA: "EU SOU O CAOS E NÃO SEI EXPLICAR ISSO DE JEITO NENHUM". TUDO SE INICIA EM DESORDEM, MAS SE DETIVERMOS SEU MOVIMENTO, JAMAIS ALCANÇAREMOS SUA ORDENAÇÃO. NADA HÁ DE ERRADO EM COMEÇAR UM PROJETO, SEJA QUAL FOR, PELA DESORDEM – ASSIM OPERA A NATUREZA. O CONCEITO DE "CAÓRDICO" FOI CRIADO PELO AMERICANO DEE HOCK, UM DOS FUNDADORES DA VISA. COMO "CAORDISMO" SOA COMPLICADO, O CEO DA ACCENTURE, LEONARDO FRAMIL, AMIGO E ADMIRADOR DE LUIZA HELENA, TRADUZIU: "O QUE ACONTECE É O SEGUINTE: NA BANDEIRA NÃO ESTÁ ESCRITO 'ORDEM E PROGRESSO'? LUIZA PÕE O PROGRESSO E DEPOIS PÕE A ORDEM".

pra frente, pôr em movimento; depois, ordenar, em organização dinâmica, sem parar. Luiza ainda não tinha encontrado o nome "caórdico", mas já acertava suas previsões por reconhecer a primazia do movimento frente à ordenação do movimento.

Ainda mais impressionante no vídeo de 1998 é sua lucidez e visão de futuro, que então se revelava e hoje se confirma:

"O varejo vai passar por uma grande transformação, novas empresas vão vir para o Brasil, mas isso não me assusta não. A propaganda de marca vai acabar. O que vai ficar é a personalizada. Por isso mesmo estamos montando um *data base*, a preocupação é sempre falar direto com o consumidor. O que vai ficar é o atendimento, a qualidade, tratar bem o consumidor. Você vai ter que se adaptar ao que for acontecendo no mercado, pode ser que o nosso futuro seja só ser banco de dados, que amanhã nós vamos vender banco de dados em vez de vender geladeira e televisão. A gente não sabe, mas estamos nos preparando."

"Sabe por que eu não preocupo muito com o futuro? Porque a gente conseguiu dar um giro muito grande na forma de pensar, em tudo, naquilo que a gente tinha certeza de que éramos tão bons e tudo mais. Acho que estamos prontos para ir acompanhando. Agora é uma questão de aproveitar as oportunidades e os momentos. Eu quero que nossa empresa seja um exemplo de empresa que ganha dinheiro e desenvolve as pessoas. Esse é meu objetivo de vida, mostrar que uma empresa capitalista pode fazer as pessoas felizes e desenvolver as pessoas para que elas acreditem nelas."

"A alma do Magazine é estar sempre inovando."

"Algumas características do Magazine vêm desde quando ele começou pelos meus tios e pela minha tia, que é aquela agressividade de marketing."

"Desde pequena eu era muito chata. Eu não podia ver alguma coisa errada que brigava com a minha tia, discutia com os diretores. Eu sempre tive um ideal muito grande de mudar para melhor, fazer melhor."

O que nos leva de volta ao futuro do Magazine Luiza, num passado em que Luiza Helena aprendia a aprender com sua maior guru, tia Luiza.

CAPÍTULO 9:
PAVÕES, OVOS E LEITOAS

O trabalhador rural entrou no Magazine, foi direto ao caixa: "Este mês não vou pagar o meu 'carneirinho'".

"Mas por quê?", perguntou tia Luiza.

"É que a televisão que comprei aqui não tem 'vulto' e nem 'proseia'".

Luiza demorou para entender que o cliente não queria pagar o carnê porque a televisão não transmitia imagem ou som, estava com defeito. Mandou um técnico até a casa do cliente, resolveu-se o problema, o comprador voltou à loja e honrou o "carneirinho".

Outro roceiro preferia botar a família toda no trator para assistir à televisão numa fazenda vizinha. Sua casa ficava num vale, o sinal da TV não chegava. Tia Luiza resolveu a parada: mandou instalar uma antena que direcionasse a transmissão para a casa do agricultor. Deu certo, mais uma televisão foi vendida, a antena funciona até hoje.

O Magazine vai se expandindo fisicamente. Aos poucos, Luiza e Pelegrino adquirem imóveis vizinhos, crescem.

Alguns irmãos tornam-se sócios do Magazine. Maria, a irmã mais nova, vende a mercearia e, junto ao marido, Wagner, entra na empresa. Logo depois entram Jacira, a mãe de Luiza Helena, e o caçula da família, Onofre. Essa união de forças fraternas, nos anos 1970, foi fundamental para a expansão do Magazine pelo interior de São Paulo e Minas Gerais. Entre as aquisições patrimoniais, o casal comprou uma casa colada à loja matriz do Magazine. Uma residência grande, confortável, mas sem demonstrações de luxo.

A nova casa permitiu a Tia Luiza o truque da ubiquidade – para os funcionários, ela tornou-se presente em todos os lugares, em súbitas aparições inexplicáveis. Os funcionários podiam ser surpreendidos a qualquer momento. Sem que se visse de onde tinha surgido, materializava-se na loja, conferindo o andamento do trabalho.

> **Pedro** – *Tia Luiza abriu uma porta secreta entre a casa e a loja?*
> **Luiza** – *Sim, ela fazia visitas surpresa à loja, vindo direto da casa dela, surgia e implicava com tudo, impressionante. Porque ela é muito dos detalhes, virginiana. Era muito assim de olhar pacote, entrega, atendimento ao cliente...*

Hoje, um armário esconde a porta que Tia Luiza abria direto de casa para o Magazine. Se passaram a contar com as visitas-surpresa, os lojistas não poderiam estar preparados para o próximo desafio: tia Luiza irrompeu na loja carregando centenas de penas de pavão. O carnaval estava chegando e, como ela criava pavões, separou maços de cinquenta penas e os distribuiu entre os funcionários. Que fossem vendidas por 1 real cada pena. Os vendedores que se virassem. Ao vender um sofá, por exemplo, no final perguntariam se, por acaso, o cliente não estaria também interessado em... penas de pavão.

Um vendedor novato, pouco sabedor do estilo de tia Luiza, perdeu a paciência e resolveu cumprir a cota de uma vez, desembolsou os 50 reais do próprio bolso. Claro que tia Luiza deduziu o artifício, mas se mostrou bem impressionada com o novato. Pegou mais quatro tufos e mandou entregar ao vendedor veloz. No pacote, o bilhete: "Daqui a quinze dias, acertamos!".

Tia Luiza trazia vários artigos de seu sítio para vender na loja: ovos, verduras, frutas e as "penas de pavão" de ocasião. No início de cada semana, os hortifrutis traziam um clima quase de feira livre na entrada do Magazine. Hermínio, funcionário de confiança, recebia os alimentos da própria Luiza, que numa temida troca de olhares, dizia: "Sábado de tarde recolho o dinheiro".

Essa frase fazia Hermínio tremer, já que, daquele momento em diante, ele teria que rebolar para vender tudo. Para piorar, Luiza ainda vendia os produtos a preços mais altos que os do armazém e do supermercado locais. "Estes ovos são maravilhosos, foram produzidos no meu sítio, com as melhores galinhas de Franca", argumentava Luiza, explicando por que eram mais caros.

Compadecidos com a meta a ser batida pelo pobre Hermínio, os colegas do Magazine compareciam e cada um comprava um pouco para ajudar. No final, não é que o pessoal achava tudo uma delícia e os produtos eram espontaneamente elogiados?

A BICICLETA DE UM REAL

As roupas surradas e a postura acabrunhada atestam que é um homem pobre, intimidado pelas ofertas do Magazine. Leva seu filho pela luminosa ala das bicicletas. Só os olhos do menino brilham mais que os metais estalando de novo nos guidões, quadros, aros e correntes das magrelas.

Diante do primeiro vendedor que vê, o garoto se descola do pai e pergunta:

"Moço, quanto é essa bicicleta?"

"A bicicleta custa 1 real", responde o vendedor, achando graça.

O menino corre até o pai, empolgado, anuncia o preço inacreditável.

Na real, a bicicleta custa 400 reais, o pai bem o sabe. Desconversa, pega a mão do filho e vai circular por outra seção. Só que tia Luiza estava assistindo a toda a cena. Chama o pai e confirma:

"Seu filho está certo. Pode ir ao caixa e pagar. A bicicleta será sua por 1 real."

Incrédulo, o pai, ainda mais feliz que o filho, faz a compra. Quando os dois se vão, tia Luiza chama o vendedor:

"O restante do preço da bicicleta eu vou descontar do seu salário."

UMA GELADEIRA VELHA

Luiza Helena resolve trocar a velha geladeira de tia Luiza.

"Não mesmo. Aquela geladeira é maravilhosa."

A sobrinha pena para convencer a matriarca, que só topa depois de as duas combinarem que a antiga será posta à venda. A geladeira está nas últimas. Marques, o gerente da loja, é incumbido da missão e propõe um preço alto: "Dona Luiza, vou tentar vender por 500 reais, tá bom?".

"De jeito nenhum, seu Marques! Venda o refrigerador por 1.200 reais."

À época, 1.200 reais correspondiam a dois terços do preço de uma geladeira nova. Desalentado, Marques expõe a peça de museu na expedição. Um freguês se aproxima, assunta:

"É verdade que essa é a geladeira de dona Luiza?"

Marques assente com a cabeça, enquanto o homem examina a peça:

"Está à venda?"

O gerente confirma, mas não se anima a antecipar o preço. Ao que o cliente dá seu lance:

"Pago 1.200 reais nela!"

Hermínio conhecera Luiza em 1980, quando começou a trabalhar num estacionamento vizinho à loja Um em Franca. Ele era o faz-tudo da área. O Magazine Luiza ficava numa rua estreita, no centro, era complicado manter o fluxo de caminhões sem agravar engarrafamentos. Os esforços de Hermínio para encontrar um jeito de os caminhões do Magazine cumprirem sua carga e descarga lhe renderam um convite para trabalhar no lugar.

Na loja, Hermínio fazia de tudo: recebia mercadoria, fazia faxina, embrulhava as compras, subia no telhado para fazer as decorações temáticas da loja, ajudava no estoque… Em pouco tempo virou uma pessoa de confiança de Luiza e foi instalado por ela na expedição, local estratégico, cargo de extrema confiança; afinal, é por lá que todos os produtos chegam e saem.

TABUADA NO PAPEL

Tia Luiza passa pela seção de embrulhos da loja. É lugar de capricho e responsabilidade; em datas especiais – Dia das Mães, Dia dos Pais e Natal –, ela dava expediente ali, embrulhando os presentes.

Um funcionário conta que, só de olhar a mercadoria, Luiza sabia exatamente quanto iria gastar de papel e durex. Se o empacotador errava no tamanho do papel, ouvia a bronca:

"Se continuar assim, vou ter de comprar uma gráfica só para você embrulhar os presentes."

Saindo da seção de embrulhos, Luiza circula pelos vendedores. Começa a perguntar: "E aí, quanto é 6×8? 9×7?". Coitado de quem não soubesse responder…

Tia Luiza mantém a tabuada na ponta da língua.

Em vários anos de expediente, foram inúmeras as vezes em que Hermínio e Luiza almoçaram juntos na expedição, principalmente em datas especiais e período de festas de fim de ano.

Luiza também costumava criar leitoas, reza a lenda, de excelente qualidade. A fama dos suínos tinha chegado aos ouvidos de um gerente numa das lojas do Magazine lá do Sul do país. Quando o gaúcho veio fazer um curso na matriz de Franca, resolveu comprar uma leitoa. O intermediário, como sempre, foi Hermínio, que transmitiu o pedido a Luiza Trajano. Ela, de imediato, mandou buscar uma leitoa fresca no sítio. Hermínio levou a encomenda ao gerente do Sul: "A leitoa tem 7 quilos e dona Luiza cobra 20 reais por quilo. Sendo assim, você tem que dar a ela 140 reais".

O gerente achou caro, um absurdo de preço, não iria levar.

"Tem certeza?", perguntou Hermínio, que voltou para a casa de Luiza Trajano, leitoa debaixo do braço. Ela pegou o telefone, ligou para o RH do Magazine, pediu a ficha completa do cara. Investigou tudo, em detalhes. Recolhidas as informações, mandou por Hermínio o recado: "Diga a ele que, no Magazine, gerente não cancela venda!".

Ao ouvir o recado, o gerente gaúcho afinal compreendeu a situação. Deu os 140 reais a Hermínio e pediu a leitoa de volta. No dia seguinte, rumaram para o Sul, ele e sua leitoa. Dois dias depois, recebe uma ligação. Era Luiza Trajano: "E aí, a leitoa estava gostosa?".

CARROS

Luiza e Pelegrino tinham um Ford Landau, carro de luxo das décadas de 1960 e 1970, de gente graúda, políticos e empresários.

O casal adorava o automóvel, mas, para não ostentar, só o utilizava durante a noite.

O sobrinho Donizetti passou num domingo à tarde para tomar café.

"Fui com meus filhos visitar tia Luiza. Quando cheguei, ela tinha acabado de comprar uma picape linda. Encantados, meus filhos pediram para dar uma volta. Peguei as chaves com ela, ia saindo da garagem quando ela me pediu: 'Aproveita para completar o tanque, trocar o óleo, calibrar os pneus e limpar os vidros!'."

Hermínio sempre desfrutou do carinho e da confiança de Luiza Trajano. Quando um gerente recém-empossado se desentendeu com ele e o demitiu, tia Luiza foi em pessoa tratar do assunto: "Hermínio é meu funcionário. Trate de readmiti-lo!". Para comemorar, Luiza convidou o amigo para um café em casa. "Eu ofereço o café, mas você traz o pão."

Numa manhã, tia Luiza chegou cedo ao Magazine e não encontrou Hermínio, estranhou.

"Ele foi a Barretos fazer quimioterapia", disse o gerente. Hermínio tinha sido diagnosticado com câncer nos testículos. Reservado, só comentou com o gerente porque iria precisar faltar. Durante todo o tratamento, Hermínio teria que fazer os quase 270 quilômetros de ida e volta uma vez por semana.

Luiza Trajano procurou a Santa Casa de Franca e pediu um levantamento. Queria saber tudo o que o hospital necessitaria para ter um equipamento igual ao de Barretos. O orçamento foi alto, quase um pequeno hospital dentro de outro. Luiza Trajano e Pelegrino pagaram sem hesitação. Hermínio se curou, e Franca herdou a estrutura em sua Santa Casa.

"Não há dinheiro que pague o carinho que recebi", emociona-se Hermínio. "Dona Luiza Trajano salvou a minha vida."

O FAQUEIRO SEM PREÇO

A experiência adquirida na Casa Hygino Caleiro fez de tia Luiza especialista em prata e cristais. Só de olhar, diz se determinado faqueiro é de prata ou aço ou se um copo é de cristal ou não.

Um dos poucos luxos a que tia Luiza se permitiu na vida foi comprar em Portugal um faqueiro de ouro com 120 peças. Quando chegou ao Brasil, caiu em si, achou o preço pago um absurdo e, para recuperar o que gastara, pôs o faqueiro pra vender no Magazine.

Não demora, uma freguesa conhecida o compra. Poucos dias depois, Luiza se arrepende, pede à freguesa que o venda de volta. A cliente não aceita. Até hoje Luiza lamenta pelos talheres vendidos. Perdidos. Vendidos.

LUIZA, À DIREITA, COM A IRMÃ MARIA.

CAPÍTULO 10:
DEVERES, PRAZERES

LUIZAS, SOBRINHA E TIA.

Uma foto ajuda muito. Uma 3×4, daquelas de máquina em cabine, em que tia e sobrinha se espremem juntas para entrar, não cabem em si de alegria. Um retrato que não é para documento ou obrigação, é pura travessura, registro de um passeio, talvez depois de um cineminha. O sorriso das duas parece um só, rasgada gargalhada, a bagunça de se esconderem do mundo ali dentro, para, pelos instantes em que os flashes espoucam, poderem se livrar de papéis sociais, títulos e responsabilidades. Ali, não são a dona do Magazine, nem sua sobrinha inseparável. São molecas, irmãs, parecem ter a mesma idade, apesar dos vinte e dois anos de diferença.

A foto ajuda a entender a paixão entre as Luizas, ajuda a conhecer a luz da adolescente Luiza Helena. Ajuda ainda mais a revelar a jovialidade de tia Luiza, que não aparenta seus então 40 e poucos. Como muitos que conviveram com ela apontam, parece mesmo uma mulher forte, de força física. Também aparece seu senso de humor, aquele insinuado em suas histórias, mas quase sempre disfarçado por um véu de certo azedume.

Na fotografia, estão felizes. Felizes por estarem juntas, felizes por estarem sós.

Luiza Helena costuma repetir, insistir numa palavra, quando precisa descrever sua relação com a tia: "Doentia, sempre tivemos uma relação doentia". É um adjetivo forte. A obsessão de tia Luiza pela sobrinha sempre foi evidente. Luizinha é a filha que não teve, o futuro que sonhava ter. Além disso, ao olhar para ela, podia ver seu fim, que preferia adiar.

Arrisco-me a dizer que, a partir da pré-adolescência, Luiza Helena tenha passado a conviver mais com a tia do que com a mãe. Em suas lembranças, a mãe Jacira aparece mais como contraponto – ora acolhendo uma menina que se exige demais, ora exigindo mais de uma menina que quer acolher o mundo com as mãos. Jacira não tem ciúmes da ascendência da irmã sobre a filha, tem segurança de sua autoridade materna, e mais, uma sensibilidade fina que ampara as dúvidas e angústias existenciais de Luizinha.

Não que a jovem Luiza Helena fosse dada a curtir crises de identidade, ou dramas psicológicos de sete cabeças dentro da cabeça. É dela, de seu íntimo emocional, uma certa ansiedade, que aflora quando sua inquietude não encontra onde se expandir e expressar. Mas ela trata de procurar como agir, tomar providências, põe-se em movimento, resolve-se. Sua angústia é exógena, isto é, o que a angustia vem de fora, do que vê no mundo e não compreende, do que acha torto, errado, fora do lugar. Ela olha e vê um mundo a consertar.

Luiza Helena, aluna de inteligência acima da média, não se contentava com eventuais respostas esfarrapadas de professores, exigia argumentação fundamentada. Lembra hoje que chegava da escola e… "sempre que eu reclamava da professora, que não tinha recebido atenção ou tinha levado uma bronca, minha mãe dizia: 'O que você pode fazer para a professora gostar de você?'". Luiza ouve e não esquece. Diante de um conflito anunciado, ela é estratégica, não recua, enfrenta, mas prefere o contorno ao confronto.

Que professora pode não gostar de Luiza? De todos os alunos do colégio particular Jesus Maria José, onde estudou dos 7 aos 17 anos, ela era a mais participativa, envolvia-se em tudo que era proposto pelas freiras. Reunião do grêmio, viagem para fora da cidade, festa junina, formatura… Quando o convite a participar da organização era feito, Luiza era a primeira a levantar a mão. Participar de eventos era com ela mesmo. Ali e sempre, realizar a alimentava.

PEQUENO GLOSSÁRIO DE LUIZA HELENA

TENHO CABEÇA DE SOLUÇÃO.

- 1: **INTELIGÊNCIA.**
- 2: **SAÚDE MENTAL.**
- POR EXTENSÃO: **DIANTE DE PROBLEMAS, PÔR-SE EM MOVIMENTO, SEM BUSCAR CULPADOS (MATÉRIA DO PASSADO), PARA ENCONTRAR RESPOSTAS.**
- SINÔNIMOS: **CORAGEM, INCONFORMISMO.**
- ANTÔNIMOS: **NEUROSE, PSICOSE.**
- ADVERTÊNCIA *IN MEMORIAM*: **LEGADO DE SUA MÃE, JACIRA, A QUEM LUIZA HELENA SEMPRE ATRIBUI AVANÇADA INTELIGÊNCIA EMOCIONAL: OLHAR OS PROBLEMAS COM LENTES ESPECIAIS, CAPAZES DE MOSTRAR PISTAS DE SUA PRÓPRIA RESOLUÇÃO. SEGUNDO A NEUROCIÊNCIA, "CABEÇA DE SOLUÇÃO" SIGNIFICA ATIVAR OS CIRCUITOS NEURONAIS DA AÇÃO FRENTE À PARALISIA DO MEDO.**

Pedro – *Você ficava com quem quando você era pequena?*
Luiza – *Era tudo junto, não tinha esse negócio, sabe? Ia pra loja, voltava. Não tinha trauma.*
Pedro – *Não digo trauma, só para visualizar você pequenininha.*
Luiza – *A gente era junto. Minha mãe primeiro teve um mercado junto à casa. E falava: "Vai sozinha que você é capaz". Com 5, 6 anos, eu já andava de ônibus sozinha pela cidade. Minha mãe não ia em reunião de pais falar: "Nossa, e a minha filha como será que ela está indo, hein?". Ela não ia, ficava na dela. Não ficava me tratando como se eu fosse um tesouro. Se eu chegasse da escola falando mal da professora, dizia: "Tenta fazer a professora gostar de você". Era uma relação de confiança.*
Pedro – *Mas, você estudava com alguém? Alguém fazia lição com você?*
Luiza – *Não, não.*
Pedro – *Você era boa aluna?*
Luiza – *Era. Nunca fui a primeira, mas sempre fui muito boa. E, se alguém quisesse ser a primeira, como uma amiga, que tinha um defeito na boca, que eu gostava muito e queria ser a primeira – eu não achava ruim.*

Não adiantava Luizinha ficar na pontinha dos pés. Para atender ao freguês do outro lado do balcão, tinha que subir em seu "personal" caixotinho.

A moça tinha uma posição de destaque dentro da loja. Não estou falando de cargo ou função, e sim do lugar central de sua mesa, no Magazine. Era lá, no umbigo geográfico do Magazine, que ela fazia suas lições de colégio, sem perder um lance das atividades comerciais. À tarde, depois das aulas, as amigas mais próximas da escola, Leda e Maria Helena, vinham fazer os trabalhos e deveres de casa.

Maria Helena lembra-se de que "Luiza se sentava a uma mesa que a tia lhe deu para trabalhar. Como ela não podia sair da loja, eu ficava numa ponta da mesa e a Leda na outra. Nós todas fazíamos as tarefas da escola, e ela também ia atendendo as pessoas enquanto isso". Hoje, Leda se espanta com a lembrança da timidez de Luiza criança. "Ela ficava meio quieta. Mas tudo o que pegava para fazer virava alguma coisa. Luiza sempre foi uma tecelã de relações. Coordenava tudo, dividia as tarefas... Ninguém brigava com ninguém durante o processo, e no fim dava certo."

Da tia, Luizinha imitava a fixação no cliente, acompanhava o movimento de quem entrava, circulava pela loja e parecia que sairia sem levar nada. Antes que isso acontecesse, Luiza aparecia, puxava assunto. Aí já diferia da tia, tinha outra abordagem, flexível, mais sedutora que impositiva. Tinha o jeitão amineirado de ser, e antes de tentar convencer, buscava entender por que o freguês ia sair de mãos vazias.

Sim, acontecia muito de o freguês abrir o coração e dizer que não tinha como pagar. Luiza se desdobrava então em conselheira pessoal e coach financeira, fazia sopesar prós e contras. Quase sempre dava certo, mesmo quando não de imediato. Não demorava e o cliente voltava, não em busca de determinado produto, procurava a mocinha simpática, quem sabe aquele liquidificador...

DEVERES, PRAZERES

Para Luiza Helena, a melhor venda é a que corresponde a um sonho realizado.

Luiza se envolvia cada vez mais com os negócios, havia espaço para isso. Seguia o conselho da mãe: "Faça sozinha. Você é capaz". Na escola, era uma aluna esforçada, atingia os objetivos, mas não brigava para ser a primeira da classe. "Não fui criada para ser primeira, e sim para ser competente", diz. Atitude que se tornou um traço da cultura do Magazine Luiza, uma marca de seu estilo de comando. "No Magazine, nos proibimos de falar esse tipo de coisa, que somos número um, ou que somos os maiores."

A ideia de ser a melhor não figurava entre suas preocupações, mas ela sabia muito bem no que era melhor. Preferia tudo que envolvia raciocínio lógico, Matemática, "ao contrário da maioria das companheiras". Escrever, nas aulas de Português e Redação, só deixou de ser uma encrenca quando chegou uma professora nova. "Eu estava no quinto ano e chegou essa professora de Português, reprovando todo mundo. Ela me marcou não por ser brava, mas pela metodologia que tinha. Era exigente, mas tinha método, e isso me ajudou. Se não fosse ela, eu não saberia escrever com começo, meio e fim."

Luiza Helena buscava método, sabia se mover e sabia que, para continuar se movendo, carecia disso. Acrescentou metodologias a seu modo original, e eficiente, de ser: faz, erra, refaz; esse é o ritmo, até hoje, a marcha dela. Perguntar o porquê das coisas, não aceitar meias explicações, confrontar, questionar e investigar as situações: se alguém tem menos, muito menos, ou tem mais, muito mais que os outros, por que é assim? Por que tem que ser assim? Desde criança, Luiza pergunta, quer saber as razões da falta de razão.

"Sempre discuti desigualdade social na escola. Às vezes, minha mãe se preocupava e dizia que franqueza demais é falta de educação." Em casa, sua consciência e inconformismo eram atitudes respeitadas pelos mais velhos, ainda que se assustassem com a pequena "subversiva".

Pedro – *Em seu aniversário de 13 anos, você pediu de presente a assinatura do Estadão. Que parte do jornal você começou a ler, que tomou gosto de ler? Foi na primeira página, nos quadrinhos? O que você lia?*
Luiza – *Eu lia tudo que era notícia, leio até hoje. Nunca fui de ficar aprofundando demais, mas lia de tudo. Eu discutia política desde pequena. Uma vez, meu tio Onofre me falou: "Menina, política e religião a gente não discute". Não tinha jeito, sempre discuti desigualdade social. Sempre fui muito politizada, acho que nasci politizada. Politizada no sentido de defender causas, me envolver e me sentir responsável. Não sei de onde veio isso, mas sempre fui assim, desde pequena.*

No fim do ano, semestre letivo encerrado, dedicava-se só às vendas. Com o dinheiro extra, comprava presentes para a família e amigos.

CAPÍTULO 11:
PARENTES, PARENTES, NEGÓCIOS À PARTE

"Não perdendo nem um centavo."
Resposta do multibilionário George Soros
à pergunta "como ficar rico?".

Tia Luiza alcançara o que tinha se proposto, agora podia empregar toda a família. Parente, no entanto, era submetido à regra: começar nas funções mais subalternas. Promoção, só por honra ao mérito. Foi assim com Julio Trajano, neto de Eurípedes, irmão de tia Luiza.

"Comecei a trabalhar no Magazine muito cedo. Devia ter 10, 11 anos, e ia durante as férias. Em geral, ia montar motoca e bicicleta. Como incentivo, tia Luiza me dava uma graninha do bolso dela. Eu era obrigado a usar uniforme e a chegar pontualmente, cedinho. Com 15 anos, fui trabalhar na área de vendas e afinal fui registrado. Trabalhava todos os dias, meio período, estudava de manhã. Depois, fui estudar à noite, pra trabalhar o dia todo. Fui crescendo, aos 18, ganhei o prêmio de Melhor Vendedor do Brasil. Eu era muito cobrado e tinha que dar o exemplo. Minha família nunca foi acionista do Magazine, mas sempre tivemos um convívio próximo. Meu pai morreu aos 61 anos, câncer de pulmão. Sempre tinha me cobrado muito estudo. Ele dizia: 'Se você não for bem na escola, te tiro do trabalho'. Isso seria meu castigo maior, então eu fazia tudo com muita galhardia. Quando, aos 19 anos, fui trabalhar no escritório, Luiza Helena passou a ser minha chefe direta. Na nossa família é na meritocracia mesmo, tem que dar resultado."

Outros parentes passaram pelo Magazine, não corresponderam, e foram afastados. Sobre a relação de parentes trabalhando na empresa familiar, Julio usa uma metáfora roceira para se explicar: "Envolve tudo. Comprometimento, dedicação, entrega, resultado. É parecido com a história do porco e da galinha: a galinha bota o ovo e vai embora. Já o porco entrega a vida pra fazer o bacon. Pra vencer no Magazine é preciso ser porco nesse processo".

■ ■ ■

Frederico Trajano, filho de Luiza Helena, e o primo dele, Fabrício Garcia, são hoje respectivos CEO e vice-presidente do Magazine. Os dois começaram como vendedores, usavam uniforme, abriam a loja, tinham metas a cumprir. Quem lembra de Fred menino é João Bhosco Cordeiro, que chegou ao Magazine em 1974.

"Fred foi criado comigo, ali no setor de eletrodomésticos. Lembro-me que quando ele nasceu, Luiza Helena trabalhou até as 10 horas e foi dar à luz ao meio-dia. Dois dias depois, já estava de volta. Todos os dias, Luiza Helena trazia o Fred para o trabalho, deixava ele conosco. Quando ele já tinha uns 4 anos, na hora em que o movimento na loja dava uma sossegada, lá pelas 4 da tarde, eu o pegava. Ficávamos dando voltas na praça central de Franca, Fred de carrinho, brincando."

Fabrício também passou a infância dentro da loja, na seção de brinquedos, jogando games, ou na expedição, ajudando Luiza Helena. Quando começou a faculdade, trabalhava de dia, estudava noite adentro.

"Fabrício passou um bom tempo trabalhando comigo...", lembra Bhosco. "Ele era o maior acionista da empresa, e meu subordinado. A prática o formou e preparou para assumir a vice-presidência."

O NOME DO CAFÉ

O marido de tia Luiza tinha um sonho antigo, quase um capricho. Só conseguiu realizá-lo na velhice, em 2015. Não fez mal, vibrou muito quando a ideia se concretizou. Pelegrino sempre quis um café para chamar de seu. Sim, queria comercializar o café da marca Pelegrino. Para ele, representaria a realização como empresário. Café plantado em sua fazenda São Gregório, tinha certeza de que seria um lance vitorioso.

Quando se fez a busca pelo nome, a decepção. Já havia um café chamado Pelegrino. Diante do impedimento, apelou aos céus. Batizou seu café de São Pelegrino. Aprovado o nome, lançou-se o novo produto, com grandes expectativas de vendagem.

Outra decepção, o Café São Pelegrino encalhou nas gôndolas. Inexplicável o fracasso de um artigo de primeira qualidade. Mais uma vez, o casal Pelegrino e Luiza apelou ao marketing, mudaram de novo o nome do café.

Foi um estouro, um sucesso de vendas, o Café Tia Luiza.

Em 1991, preparando as comemorações de seu aniversário, tia Luiza teria mandado um bilhete para a sobrinha Luiza Helena: "Logo vou completar 65 anos. Estou ficando velha. Acho melhor você assumir o Magazine".

Duvido que o bilhete de tia Luiza tenha pegado Luiza Helena de surpresa. Ainda que isso não fosse enunciado de modo oficial, era senso comum que ela seria a sucessora, havia anos que ela pressentia o momento, o futuro só não se aproximava mais rápido porque ela estava muito ocupada se preparando para ele.

Pedro – *Essa época da transição em que você passou a ser superintendente do Magazine foi uma época difícil, né? É verdade que você se afastou, deu um sumiço?*
Luiza – *Eu nem queria ser superintendente. Mas a empresa precisava criar uma governança, já estava faturando 100 milhões de reais. Fiquei uns trinta dias afastada para que eles pudessem tomar uma atitude. Não que eu tenha feito assim, 'vou ficar trinta dias para sentirem minha falta'... não sei, era intuição.*

Desde criança, sua intimidade plena com a tia patroa fazia com que as duas se comunicassem como se por telepatia. Duas eméritas "leitoras" de gente, sabiam ouvir o que a outra nem precisava falar. Com a tia, Luiza Helena absorveu o cuidado extremo com gastos, a conta dos elásticos, grampos, papel e fitas adesivas. Tinham aprendido, como George Soros, que, para crescer, tão ou mais importante que ganhar é não perder.

Luiza Helena nunca se resumiu à cópia de sua imensa tia. Não, talvez até ao contrário, algumas virtudes de Luizinha tenham se erguido como resposta, reação a posições ultrapassadas da tia. Pioneira involuntária da emancipação feminina, a velha Luiza não achava graça em ser moderna. Luiza Helena, mulher moderna por geração e temperamento, viveu e vive seus tempos às últimas consequências. Décadas antes de o ESG (sigla de *Environmental, Social* e *Governance*, que caracteriza empresas alinhadas às melhores práticas ambientais, sociais e de governança) se impor como novo padrão mundial, e de se ouvir na voz de executivos de grandes corporações o termo "metacapitalismo", isto é, capitalismo consciente, Luiza Helena já propunha e fazia isso em sua prática. Sua precoce e espontânea consciência das iniquidades sociais se batia com a lógica do lucro que move todo negócio.

Cedo na carreira, ela encontrou as brechas que o próprio trabalho mais que oferecia, exigia, para a complementaridade entre comércio e consumidor, patrão e empregado. Na cabeça de Luiza, lucro era uma ótima causa, tão boa que podia abrigar outras causas em seu espectro. Mas, para alguns homens de negócio, para mentalidades fossilizadas, tal ideia amplificadora do conceito de lucro como algo passível de se compartilhar (quase uma contradição entre termos) soava agressivo, uma heresia. E Luiza Helena tinha um desses fósseis bem perto dela, seu tio Pelegrino.

"Minha mãe sempre teve uma preocupação mais global, uma preocupação que envolvia, sim, as questões de negócio, crescer, ganhar mercado, mas tinha uma preocupação social muito forte. Uma preocupação com todos os stakeholders (partes interessadas), não só com os acionistas", diz Frederico Trajano, que se lembra das resistências que sua mãe enfrentou. "A ponto até que ela tinha desgastes com o Conselho, especialmente com meu tio Pelegrino, que era um italiano calabrês muito rígido, um pouco machista até."

É da natureza de Fred ser comedido, ele não faz juízos implacáveis. Mas não é que Pelegrino fosse "um pouco" machista – era pior que isso. Além de machista, seu machismo tinha sido desmoralizado. Explico. Diante do brilho maior de tia Luiza, sua mulher, ele não teve escolha, a não ser se resignar. Não deve ter sido nada fácil para Pelegrino – num mundo em que "homem que era homem" não deixava sua mulher sequer trabalhar fora – ser o marido, o ator coadjuvante do grande espetáculo de realização e prosperidade chamado Luiza Trajano.

Pedro – *Pelegrino era casado com tia Luiza, mas tia Luiza é que mandava, né?*
Luiza – *Depende, Bial, meu tio teve um papel importante. Teve uma força masculina.*
Pedro – *Eles não tiveram filhos?*
Luiza – *Não tiveram. E ela sempre foi muito apaixonada por mim. Até meio doente. Mais do que a minha mãe.*
Pedro – *Como era a sua relação com o Pelegrino?*
Luiza – *Era difícil. Ele tinha muito ciúme da minha relação com ela. Eu e minha tia sempre tivemos uma relação doentia, a vida inteira. Parecia que eu era uma sequência dela, a única pessoa que ela escutava. O Pelegrino não aceitava que o poder de uma empresa estivesse na mão de uma mulher. Como calabrês machão,*

ele fazia diferença entre as minhas filhas e o Frederico. Ele separava demais as meninas dos meninos.
Pedro – *E como um calabrês assim convivia com a tia Luiza?*
Luiza – *Com ela, ele aceitava tudo. Ela era muito esperta de relacionamento. Sabia usar da inteligência para dar a impressão de que ele é que mandava. Sei que eles ajudavam a família, mas tinha algo obscuro, o que se não tivesse, acho que ela não sobreviveria. Ela sabia manejar a família para não brigar, mesmo que tivesse de recorrer às suas artimanhas de vendedora.*

Se, em casa, Luiza e Pelegrino tinham acertado um pacto de convivência, o surgimento de uma nova Luiza, a Helena, turbinada, uma Luiza 2.0, era demais. Pelegrino foi uma constante pedra nos saltos-altos de Luiza Helena, resistência ranzinza a todos os movimentos modernizantes que ela trouxe. Julio Trajano, primo de Luiza, conta que Pelegrino não aliviava, extrapolava o machismo: "Pelegrino não aceitava a postura da Luiza Helena e ela sofreu muito com isso. Fazia inúmeras desconsiderações. Um dia, ele chegou a apontar o dedo pra ela e falar: 'Vou te tirar daí'".

Hoje, Luiza Helena fala com humor daquela barra: "Meu tio me exigiu demais, ele era muito chato mesmo. Mas acho que se ele não tivesse me amolado tanto, eu não seria tão competente". Luiza Helena usou, como pôde, essa perseguição a seu favor. Pelegrino tornou-se um termômetro, um farol para que ela antecipasse prováveis obstruções a seus avanços.

Para disfarçar seu machismo, questão pessoal mal resolvida, Pelegrino o manifestava por opiniões sobre decisões corporativas, em dissonância crítica às posições progressistas de Luiza Helena. Vinham dele, que integrava o conselho da empresa, as principais resistências à política de benefícios, como auxílio-creche, bolsas de estudos, planos de crédito facilitado, vale-alimentação, planos de saúde e assistência odontológica, entre outros.

Para não singularizarmos Pelegrino Donato como opositor da modernidade de Luiza Helena, tomo como exemplo um caso recente, análogo. Ela tinha sido convidada por um grande investidor para fazer uma live explicando a ideia de capitalismo consciente. Para esclarecer, afinal, o que vem a ser lucro com "propósito". (Para melhor compreensão da história: Ebitda, em português Lajida, é o lucro operacional, antes de juros, impostos, depreciação e amortização; algo como lucro bruto).

"Eu sempre investi em pessoas com propósito, com desejo de estar entre as melhores empresas para se trabalhar. Em 2011, fiz uma série de eventos, em que chegava às empresas e já avisava: 'O que eu vou falar não vai te dar um real a mais, mas eu vou continuar falando'. Lógico que me escutavam, eu era sócia também. Agora, depois de oito anos, nunca pensei que fosse acontecer, um investidor muito forte, que foi o que mais investiu em nós, me chamou para falar, a mim e um colega: 'Luiza, vamos fazer uma live. Pra gente falar sobre 'propósito'. Eu nunca achei que fosse ouvir isso de investidor'."

"No meio da conversa, meu colega falou em 'propósito'. Eu disse que muitas vezes abri mão pelo propósito, mas que não sou uma ONG. Quando ele pegou a palavra, falou: 'Diferente da Luiza, eu sou voltado a lucrar.' Ele quis dizer, ela é mulher, pode fazer por 'propósito', mas eu, homem, sou voltado à Ebitda. Ah, não deixei por menos, voltei e falei: 'Olha, acho que não me fiz explicar. Desculpa. Eu disse que não era uma ONG. Não disse que não fosse voltada ao lucro. Se eu não fosse voltada à Ebitda, minha empresa não estaria avaliada em 140 bilhões de reais" (números da época).

Um acréscimo e uma correção necessários: o empresário que se disse "diferente de Luiza", pois voltado ao lucro, tinha faturamento quatro vezes inferior ao dela.

PEQUENO GLOSSÁRIO DE LUIZA HELENA

QUEM (OU O QUE) TE IRRITA, TE DOMINA.

- 1: TOLERÂNCIA, ESPÍRITO DEMOCRÁTICO.
- 2: PACIÊNCIA.
- 3: FRIEZA POLÍTICA.
- POR EXTENSÃO: CAPACIDADE DE OUVIR A QUEM NÃO SE SUPORTA.
- SINÔNIMO: ZEN.
- ANTÔNIMOS: DESTEMPERO, AUTORITARISMO.
- ADVERTÊNCIA *IN MEMORIAM*: MAIS UM PENSAMENTO PRAGMÁTICO HERDADO DA MÃE, JACIRA: SE ALGUÉM LHE CAUSA IRRITAÇÃO, CRIA PODER SOBRE VOCÊ.

SE QUERES MUDAR O MUNDO...

Se queres mudar o mundo... começa por tua aldeia. Foi na sua adorada Franca que primeiro se revelou a vocação de Luiza Helena para botar gente em movimento — e organizar o movimento. Depois das experiências de adolescência com os grupos de jovens católicos, já na lida do Magazine, Luiza sempre arrumava jeito de transbordar as demandas da loja para que atendessem também aos interesses da cidade.

Em 1998, juntou pessoas mais próximas com a seguinte proposta: resgatar a autoestima dos francanos, abalada na época pelo fim da hegemonia calçadista, atropelada pela concorrência dos chineses.

Eram apenas dez pessoas a organizar a passeata, sob o slogan "Franca Cidade Viva, Viva Franca", a ser realizada no aniversário da cidade. Trabalharam bem. No dia 28 de novembro, cerca de 45 mil pessoas se manifestaram. O sucesso fez com que os trabalhos avançassem, o que culminou na criação de uma organização não governamental. A ONG FrancaViva, fundada pelo marido de Luiza Helena, Erasmo Fernandes Rodrigues, nasceu para promover a cidadania ativa nas áreas do meio ambiente, da cultura e da educação. Fundada em 2001, até hoje funciona, mantida com a ajuda de Luiza Helena.

■■■

*Franca guarda a história de um empreendedor muito original na história industrial brasileira. O engenheiro francano João Augusto Amaral Gurgel foi o líder da primeira tentativa de fazer um carro "*made in Brasil*", com 's'. Fez, e o fez elétrico! Ainda que o carro* *movido a bateria não tenha se mostrado viável — apesar de custar o mesmo que um Fusca, tinha velocidade máxima de apenas 50 quilômetros por hora, autonomia pequena, de 60 quilômetros, e o tempo de recarga de sua pesada bateria era de dez horas. Mas seus modelos a gasolina chegaram a fazer história, Gurgel foi o primeiro empresário a produzir carros nacionais em grande escala. Feitos em fibra de vidro, eram simpáticos e econômicos. A empresa faliu na década de 1990. João Augusto Gurgel morreu em São Paulo, aos 83 anos, em 30 de janeiro de 2009.*

■ ■ ■

Sobre o empreendedorismo como uma característica de Franca, as visões são controversas. Eliane Sanches, parceira de vida e no Mulheres do Brasil de Luiza Helena, apresenta uma tese inteligente: "Acho que o empreendedorismo francano vem muito do fato de a gente não ter grandes empregos aqui, de não ter muitas empresas. É uma cidade pobre, de renda mínima muito baixa, muito pequena frente a nossos vizinhos, Ribeirão Preto, São José do Rio Preto. Então, as pessoas buscam fazer seus próprios negócios, é uma questão de sobrevivência". Foi o que tia Luiza fez, pensando em dar emprego pra família, e acabou gerando empregos para a cidade e para a região.

Pedro – *Quando você era criança, que mulher você achava o máximo, uma supermulher?*
Luiza – *Tinha uma de Franca que eu adorava, ela já morreu. Tinha cabelo vermelho. Eu adorava cabelo vermelho, achava muito chique! Uma mulher finíssima. Eu aprendi a dar gorjeta com ela. Meu marido tinha um posto de gasolina, ela passava lá e deixava gorjetas boas para os frentistas. Eles ficavam tão felizes! Eu adoro dar gorjeta por causa dela... Franca tem muita capacidade de empreendedorismo. Franca é impressionante.*

CAPÍTULO 12:
A FRANCA CIDADE

Em Franca, São Paulo já é Minas. Essa mineiridade francana explica uma ou duas coisas do estilo Luiza Helena. Além da vocação para a política, da enganosa mansidão, da fala redonda que arrasta e empresta ar de segredo até a um "bom-dia", também indica, por oposição, sua vontade de voar. A cidade de Franca tem a tradição de olhar para fora. Aliás, já por isso não seria Minas, que gosta de olhar pra dentro, pra modo de nunca esquecer.

Franca mira e reflete o ar alteroso – duplica Minas. Seus limites são divisas, as cidades e municípios vizinhos, em Minas Gerais, pertencem à história dos Trajano. Ibiraci, Claraval, Sacramento, Conquista... Não por acaso, a expansão do Magazine tem seu marco pioneiro no Triângulo Mineiro.

Filhos de nordestinos, a geração de tia Luiza, Jacira, Iris, Onofre e demais irmãos formou-se na cultura mineira. É de Ana Luiza, filha de Luiza Helena, a lembrança plena de cheiros e sabores: "Franca finge que está em São Paulo, mas fala igual mineiro, conversa igual mineiro, come igual mineiro. Então, da tia Luiza, que eu considero como se fosse vó, veio a casa com forno a lenha, café sempre torrado ali no fundo do quintal, porco na lata, leitoa, sabe?".

E por que eu digo que Franca é a falsa caipira, de olhos no mundo? Porque nasceu estrangeira, foram viajantes que a inventaram. Desde a primeira expedição do bandeirante Anhanguera, no século XVIII, nessa região se estabeleceram pousos de tropeiros. O primeiro nome dessa localidade planaltina e mesopotâmica, arranjada no cocoruto de elevação ligeira, é Pouso dos Bagres. Em 1821, Dom João VI a nomeia Vila Franca de Rey. Com a independência, torna-se Vila Franca do Imperador e, em 1856, ganha o status de cidade, município.

À época em que o avô de Luiza Helena, Manoel Trajano Mattos, e outros personagens dessa história chegaram a Franca, a cidade cumpria ainda sua função central de entreposto e pouso. Naquele início da década de 1910, Franca era parada obrigatória de comitiva de boi. Por essa rota, comerciantes levavam sal do Rio de Janeiro para Goiás. Em geral, os viajantes ficavam dois dias, para dar água, pasto e repouso ao rebanho. É desse tempo a versão mais corrente sobre o destino calçadista da cidade. Se é veraz ou não, que é bem achada verás.

Uma certa selaria de Franca já tinha feito fama, estradas acima e abaixo. Atendia aos cavaleiros e seus carros de boi, mantinha funcionando todo um sistema movido a tecnologia feita em couro. O próprio seleiro montava carros de bois, fabricava rodas, mestre das artes do couro e da madeira. Reza a tradição que, felizes com o serviço, os boiadeiros passaram a fazer encomendas mais sofisticadas: "Faz um sapato para mim!".

O seleiro media o pé da pessoa – não havia forma de sapato – e ficava acertado: "Na próxima viagem você pega". Próxima viagem que podia ser dali a seis meses, um ano...

Assim teria surgido o primeiro sapateiro de Franca. A sapataria cresceu, passou a empregar três, quatro funcionários. Só que o negócio não foi adiante, quebrou. Tendo aprendido o ofício, três funcionários montaram cada qual uma fabriqueta de calçados, no fundo de suas casas. Foram as três primeiras fábricas de sapato de Franca. De acordo com a mitologia, essas três fábricas viraram nove, depois 27... Até que, nos anos 1970, Franca tornou-se o maior polo produtor de sapatos do Brasil, quiçá do mundo.

O que se diz é que a prosperidade calçadista atraiu tanta gente que era mais fácil ganhar na loteria do que encontrar uma casa para alugar por ali. Franca empregava mais de 70 mil pessoas na indústria de calçados. Não é um segmento de altos salários, mas oferece funções muito diversificadas, tem emprego para a família toda – homem pespontador, mulher coladeira... Ainda hoje se ouve na cidade – e isso soa surreal nesse século XXI – que, nos anos 1970, 1980, 1990, Franca exportava sapato até para a China.

A partir da ascensão chinesa, os asiáticos monopolizaram o ramo, Franca foi desbancada. Um italiano conhecido na cidade, que ainda trabalha com sapatos, diz: "O que a China está fazendo com vocês agora, Franca fez com Itália e Espanha nos anos 1970".

Em sua época áurea, os fabricantes de calçados francanos faziam trazer modelos da Europa, desmanchavam os modelos, imitavam a técnica. Um magnata da sola e salto tinha o capricho de só beber uísque com água de Araxá. Mandava buscar galões, a 175 quilômetros de Franca, para saborear dizer que o gelo era da fonte de Dona Beja. Outro dono de fábrica só comprava vinho em Santiago do Chile. Gostava de sair pela manhã, refazer sua adega, mas não ficava, fazia questão de voltar a tempo de almoçar com a família.

Num bar ainda hoje frequentado pelos sobreviventes do ramo sapateiro, entre goles e saudades, as piadas velhas não carecem de se renovar: "Sapato é um trem tão filho da puta, mas tão filho da puta, que você tem que fazer dois para valer um!".

Destacar-se na produção de sapatos, item que serve ao movimento da gente, é mais um aspecto simbólico do caráter expansionista de Franca. A pequena urbe interiorana tem marcas intrigantes dessa relação intensa com o que há para lá da estrada, com o mundo. Ninguém sabe explicar, por exemplo, por que o basquete já era esporte popular por ali, meros dezessete anos depois de sua invenção no Canadá. Em 6 de dezembro de 1908, o jornal *Cidade da Franca* anunciava a realização de uma partida de bola ao cesto no velódromo da cidade. Como e por que, antes mesmo de chegar às capitais, a novidade foi parar naquele começo de mundo?

No século XX, Franca alçou-se ao posto de capital nacional do basquetebol, tradição viva, formou gerações de craques para o Brasil. O grande pioneiro foi Pedro Morilla Fuentes, o Pedroca, um mestre do esporte, visionário que nunca pensou pequeno. A cidade também teve a sorte de abrigar uma família chamada Garcia, cujo pai, Francisco Garcia do Nascimento, transmitiu sua paixão para os filhos Lázaro "Toto", Fransérgio e o gênio da bola Hélio Rubens. O filho de Hélio Rubens, Helinho, seguiu a tradição, cumprindo grande carreira como jogador e técnico. Porém, o basquete francano cumpriu uma trajetória comum na administração esportiva. Depois de décadas de contínuo sucesso, quebrou, tornou-se inviável.

O primeiro nome convocado a salvar a bola laranja da terra, adivinha? Começa com Luiza e termina com Helena... Só que Luiza Helena não se dá com soluções mágicas, truques de cartola furada. Não adianta passar de novo o velho chapéu, não é serviço para bombeiros, chamem os arquitetos e engenheiros. Há que rever e reorganizar as normas, a governança e as estratégias do clube.

Diz Luiza: "Quando se tem uma crise, é natural pensar que se trata apenas de um problema financeiro. Assim, é só arrumar um patrocinador e aí você respira. É como usar um tanque de oxigênio por um período.

Mas não era o caso. A gente precisava descobrir a causa de tudo e enfrentar os problemas".

Luiza Helena conseguiu organizar as principais forças políticas e empresariais da cidade. Nasceu o "Grupão", formado por quarenta empresários, políticos, torcedores, advogados e instituições. Ela impôs suas condições: "Tem que mudar o estatuto. Ou muda tudo, ou o Magazine Luiza está fora". Como providência imediata, o Magalu disponibilizou para o clube seus profissionais com maior experiência de gestão. Luiza conta como foi:

"O basquete tinha morrido totalmente, eu esperei morrer. Depois, reuni amigos, inimigos, imprensa. A primeira coisa que fiz foi mudar o estatuto, porque quando tinha dinheiro aparecia presidente e quando não tinha não aparecia nada nem ninguém. Eu tinha aprendido com experiências noutras instituições, em que ajudei por anos com dinheiro e não adiantou: quando mudaram as pessoas, tudo se perdeu. Então, decidi que nunca mais ia ajudar alguém enquanto não mexesse no estatuto. Aí, eu reuni, nessa parte eu tenho muita facilidade, o jornal que era inimigo do prefeito, todas as forças, com advogado, tudo certinho. Peguei estatutos de comitês olímpicos de tudo quanto é lugar e hoje Franca tem o melhor estatuto. Então, não tem quem manda – nós temos uma governança que fica com a associação. A prefeitura é o maior patrocinador. Dois anos trabalhamos para pagar as dívidas, fazendo tudo devagar, a gente pagou tudo, trabalhamos e depois apareceu patrocinador. Hoje não tem dono, não é o Magazine que banca. Tem um conselho, uma governança, a melhor governança de esporte no Brasil. Trabalhamos dois anos com o quadro baixo e agora demos um grande salto, quando já se tornou uma empresa."

A abordagem de Luiza Helena para resgatar a empresa do basquete francano é um claro exemplo de suas ideias de gestão. Do que ela entende por gestão, não apenas administrativa e empresarial, mas, sobretudo, por gestão social e política. "O Brasil precisa ser tocado como gestão. Hoje, o basquete de Franca é das coisas mais estruturadas. Temos que aprender que tudo começa num estatuto muito bem-feito."

Estatuto, assim compreendido, é como uma declaração de princípios, juramentada, em papel passado, título público. Se, depois de entrar em vigor, o estatuto ajuda, leva a entidade a dar lucro, ótimo, sucesso, chegou-se lá. Mas para se engendrar um estatuto que funcione, mais que mirar apenas resultados futuros, é preciso concordar em... propósitos. Não há organização possível, saúde financeira, prosperidade sustentável, sem um claro propósito. Algo que dê sentido ao empreendimento, seja ele qual for – instituição assistencial, agremiação esportiva, varejista, ou órgão estatal.

JANETE DE CONQUISTA

Janete Clair aprendeu a escrever em Franca. Sim, nascida na pequena cidade vizinha de Conquista, em Minas, foi em Franca que a maior autora de novelas do Brasil fez seu curso de datilografia. Tinha 14 anos quando teve sua carteira assinada pela primeira vez, como secretária datilógrafa.

O filho de Janete, Alfredo Dias Gomes, lembra: "Era uma coisa que ela sempre contava com muito orgulho. Minha mãe queria muito ser famosa e fazia o possível pra isso. Cantava canções em árabe, francês e declamava poemas junto com a irmã Amilde, na Rádio Hertz, em Franca. Pouco tempo depois foi morar em São Paulo com a mãe e a irmã".

JOSÉ DIVINO DE CLARAVAL

Menino ainda, José Divino Neves deixou sua cidade natal de Claraval, em Minas, para morar em Franca; os empregos da indústria de calçados atraíram a família.

Cedo, Zé Divino arrumou serviço como cortador. Era o artesão a lidar com a tira de couro, colocar sobre ela o modelo do sapato e, com uma faca, cortar, com precisão, em sua volta. É quando começa a nascer um sapato.

Na fábrica, Zé Divino conheceu Luiz Felizardo, ficaram amigos, gostavam das mesmas coisas. Logo, Zé Divino começou a aprender a tocar violão, aos 13 anos. Comprou seu primeiro instrumento no Magazine Luiza. Pagou em várias prestações.

Quando Zé Divino e Luiz Felizardo passaram a se apresentar como dupla caipira, chamaram a atenção de Wagner Garcia, primo de Luiza Helena, um dos acionistas do Magazine.

Zé Divino resolveu arriscar tudo e largou o emprego de sapateiro para ser artista em tempo integral. Wagner presenteou a dupla com uma aparelhagem completa para shows ao vivo. Encantado pela canção "Laços de Paixão", Wagner lançou com estrondo o primeiro disco de Divino e Felizardo: expôs milhares de cópias em destaque no Magazine. Era a primeira vez que a loja vendia discos e fitas cassete.

Anos depois, consagrados, Divino e Felizardo adaptaram um de seus grandes sucessos como trilha de comercial para o Magalu. Não foi difícil fazer da canção de Chico Amado, "De bem com a vida" – De bem com a vida, de bem com a vida/ De bem com a vida, de bem com a vida/ Tô sorrindo tô dançando/ Amando feliz cantando – o jingle matador "Feliz da vida" – Feliz da vida, feliz da vida/ Feliz da vida, feliz da vida/ Tô sorrindo tô dançando/ Amando feliz comprando/ No Magazine Luiza!/ Vem ser feliz!

Em tempo: a dupla nunca usou o bonito nome de Divino e Felizardo. Preferiram seus apelidos afluentes, Rio Negro e Solimões.

CAROLINA DE SACRAMENTO

Nascida em Sacramento, outra cidadezinha da "Grande Franca" mineira, a menina Carolina chegou entre 1934 e 1935. Veio com a mãe, procuravam o mesmo de todos, trabalho. Em Franca, a menina foi babá, cozinheira, faxineira. Trabalhou também na Santa Casa da cidade. Sem moradia fixa, as duas mulheres se viravam, muitas vezes dormiram ao abrigo da lona do circo do palhaço Chicholim.

Quando a mãe desistiu e resolveu voltar para Sacramento, Carolina ficou. Passou dois anos em serviços variados, até que foi convidada a morar em São Paulo por um casal francano de mudança para a capital. A moça guardou doces lembranças de sua dura adolescência na cidade Franca:

"Como eram ridentes meus 16 anos! Era fagueira como as aves ao romper d'aurora. Ninguém sabe como elas cantam. Ninguém sabe como elas choram. Levava a vida a sorrir. Levava a vida a cantar. Estes bons tempos fugiram. Todos nós temos no recôndito dos nossos corações ou uma grande saudade, ou uma grande desilusão. O certo é que temos qualquer coisa habitando em nossos corações."

E o fenômeno literário Carolina Maria de Jesus conclui suas reminiscências de juventude, com uma declaração de amor: "Eu tenho saudades de Franca, Franca do Imperador, uma cidade tão bela, um recanto próprio para o amor".

LUIZA, 15 ANOS.

CAPÍTULO 13:
UMA MOÇA BOM PARTIDO

Em sua edição de 31 de outubro de 1964, o jornal *Comércio da Franca* apresenta as debutantes do baile no *chic* Lion's Club:

> *LUIZA HELENA TRAJANO INÁCIO, filha querida do Sr. Clarismundo Inácio e de D. Jacira Trajano Inácio. Estuda no Colégio Jesus Maria José, cursando a 4ª série ginasial. É sua firme intenção seguir o curso de Medicina, isto na cidade de Ribeirão Prêto. É uma garôta simpaticíssima e temos a certeza brilhará intensamente no seu 1º Baile Oficial.*

Tão firme quanto qualquer intenção de uma moça de 15 anos, a predileção de Luiza pela Medicina dava pistas vocacionais. Adolescente cheia de interesses, reconhecia em si a facilidade de se aproximar do outro. Tinha a sensibilidade de saber encontrar, no próximo, o semelhante. Isso a que chamam Psicologia, curso que anunciava fazer, em Ribeirão Preto. Porém, concluído o colegial, aos 17 anos, o trabalho a convocou. Luiza foi efetivada como funcionária do Magazine seu xará. Carteira assinada, salário, horários, obrigações. A psicóloga nata encontrou o ambiente propício para desenvolver seus dons no comércio.

Não deixou, porém, de se matricular na FDF, a Faculdade de Direito de Franca, em 1968. Não que tenha pensado a sério em advogar. Buscava a base consistente de uma carreira convencional, de tradição, numa das escolas de Direito mais antigas do interior paulista. Isso lhe pareceu pouco, logo procurou algo mais próximo à prática de gestão, que atendesse a suas ambições de empreendedorismo. Acumulou o Direito com o curso de Ciências Econômicas e Administrativas no Centro Universitário Municipal de Franca (Uni-Facef). Estudou Economia por três anos, mas quando se assegurou de que aprendia mais no dia a dia da empresa do que na academia, largou o curso. Direito nunca exerceu, mas concluiu, em 1972.

Luiza e Erasmo se conheceram em noite de festa. No salão do Clube de Campo Castelinho, no baile da Associação dos Empregados do Comércio de Franca, ele captou a presença dela. Luiza não percebeu. Moça bonita, 19 anos, um tico menos de 1,60 m, seu carisma se irradiava pela pista. Erasmo foi claro em suas intenções, tentou marcar presença, não escondeu seu interesse. Arriscou. Isso já causou uma boa primeira impressão em Luiza, gostava de gente de atitude. "Ele tinha 21 anos, 1,81 m, era alto e bonito. Estava determinado a ficar comigo, mais do que eu com ele! Foi a primeira coisa que me atraiu na situação", conta Luiza.

Nascido e criado no interior de São Paulo, Erasmo Fernandes Rodrigues tinha um leve, mas evidente, sotaque cearense. Nasceu dois anos antes de sua futura mulher Luiza, em dia 25 de novembro de 1946, em Rancharia, no Oeste paulista, a quase 500 quilômetros de Franca. Assim como Manoel, avô de Luiza, o pai de Erasmo era mais um nordestino migrado ao "Sul maravilha". Antônio Rodrigues deixara Acopiara, no interior do Ceará, quase clandestino. Veio no porão de um navio cargueiro, nos anos 1930. Instalou-se num loteamento de Rancharia, onde passou a viver da roça. Lá, casou-se com Zuleide Fernandes, também de família cearense.

Em Rancharia, vieram os primeiros filhos – duas meninas e um menino, Erasmo – de uma sequência de seis crianças. Os demais nasceram em Mirante do Paranapanema. A fonte de sobrevivência sempre foi o trabalho de Antônio em terras arrendadas. Suava na lavoura e na criação de gado, enquanto Zuleide fazia o de casa, cuidava das crianças, crescidas em vida de fazenda.

Natural que, em casa, os Rodrigues não tivessem muitos livros. Erasmo foi atrás deles, carregou-os nas costas – chegou a ser vendedor de enciclopédias porta a porta. Ele e mais quatro irmãos se formaram na universidade. Seguindo o exemplo de Adélia, irmã mais velha, Erasmo decidiu estudar Pedagogia. Já vivia longe de casa, tinha concluído, em Ribeirão Preto, um curso técnico para formação de professores primários. Escolheu a melhor faculdade de Pedagogia da região. A de Franca.

Jovens num mundo que assistia à emergência do "poder jovem", Luiza e Erasmo desde sempre se viram unidos pela inquietude intelectual. Os dois formavam um casal inquisitivo, faziam as mesmas perguntas diante da vida adulta que se iniciava.

No auge da ditadura militar, naquele início dos anos 1970, acharam no movimento cristão um caminho mais seguro para encaminhar indagações e investigações. Foram muito ativos na Pastoral da Juventude, sem que tal engajamento significasse compromisso com a Igreja – a religião nunca tomou a frente das ocupações e preocupações dos dois. Como vimos no capítulo 7, dos grupos católicos, o casal migrou para o estudo científico das dinâmicas sociais, agrupadas na teoria da cibernética social.

Quanto à presença da fé e da energia religiosa na vida deles, cada um seguiu seu caminho próprio. Luiza Helena desenvolveu uma relação íntima e exclusiva, pessoal, com o que chama de "Absoluto". Comunica-se com essa força etérea, escrevendo. Toma notas em seus inúmeros caderninhos, sustenta ali o diálogo com o que, prescindindo de nome, atende por Absoluto. Parece um processo vigoroso de autoexame, uma prática quase psicanalítica em que Luiza mantém Luiza em xeque.

Erasmo sempre foi mais místico. Sua relação institucional forte e constante, entretanto, não foi com nenhuma religião organizada – filiou-se à Maçonaria. A fé religiosa foi herdada das orações e ladainhas dos pais, cearenses

---

PEQUENO GLOSSÁRIO DE LUIZA HELENA

DEUS ME DÊ AUTORIDADE, SABEDORIA E JUSTIÇA.

- **1:** ORAÇÃO À LUCIDEZ.
- **2:** HUMILDADE NO COMANDO.
- **POR EXTENSÃO:** AUTORIDADE TRAZ A CAPACIDADE DE ABRIR CAMINHOS; SABEDORIA, A FAZÊ-LO COM EQUILÍBRIO; E JUSTIÇA, SEM CAUSAR DANO INJUSTIFICADO.
- **SINÔNIMO:** CONSCIÊNCIA.
- **ANTÔNIMO:** INCONSEQUÊNCIA.
- **ADVERTÊNCIA:** DEUS PODE TER VÁRIOS NOMES, LUIZA HELENA GOSTA DE CHAMÁ-LO DE "ABSOLUTO", O CONJUNTO DAS FORÇAS INCONTROLÁVEIS QUE REGEM O UNIVERSO.

aferrados à tradição orgulhosa de conterrâneos do Padim Padre Cícero. Francisco, irmão de Erasmo, rememora: "Esse lado religioso do Erasmo, muito forte, tem uma ligação com a nossa casa. A família nordestina tem, por tradição, muita ligação com a Igreja Católica. Na cidade onde nascemos, meu pai ajudou na construção da igreja. O padre ia muito a nossa casa... Erasmo era muito ligado à espiritualidade. Com o passar do tempo, foi se afastando da doutrina católica e se ligando ao espiritismo. Sempre que a gente chegava em Franca, eu, meus filhos, ele dizia: 'Vamos lá pra tomar um passe'. Era na Dona Nega, a guia espiritual dele. Ele era frequentador da casa dela".

Mais uma vez, sopram aqui ventos de Minas Gerais. Com Chico Xavier em atividade no estado vizinho, a fé do espiritismo espalhou-se pelo interior paulista. "Franca é uma cidade que tem muita influência do espiritismo porque está próxima de Uberaba, onde morou Chico Xavier. Acho que até por conta da Maçonaria, ele começou a fazer serviços, a participar dessas atividades de assistência, por influência das pessoas. Ele tinha esse lado social", conta Francisco.

No decorrer da vida, Erasmo vai se tornando cada vez mais espírita. Luiza lembra: "Ele era mais religioso do que eu. Costumava levar o Frederico para conhecer médiuns, como o dr. Alonso, famoso em Franca, visitava vários centros espíritas". Fred não se esquece: "Meu pai era espírita, bem religioso, e a minha mãe não era, nunca foi religiosa, era humanista. O humanismo se confunde com várias religiões, espiritismo é humanista forte, na minha opinião, o catolicismo também, o judaísmo. Várias religiões têm um aspecto de solidariedade muito forte e acho que essa característica a minha mãe tinha. Mas a religião em si, os dogmas, essas coisas, a crença meio cega na religião a gente não tinha, isso nunca tive. Nunca aceitei imposições do meu pai nesse sentido".

Imposição religiosa aceita com gosto por Luiza Helena e Erasmo foi o casamento na igreja. Na hora da grave decisão de contrair matrimônio, Luiza Helena encontrou um inesperado apoio em sua mãe, mulher de cabeça arejada. Tudo parecia certo, o casal tinha projetos em comum, uma relação tranquila baseada na honestidade, vontade de trabalhar e construir uma família. Mas coube a Jacira não permitir que a filha Luiza desse tamanho passo sem a reflexão devida: Às vésperas da cerimônia, perguntou: "Filha, você quer mesmo se casar? Se não quiser, não precisa".

Luiza Helena se apruma, endireita as costas, orgulhosa de contar: "Minha mãe me deixou livre. Acho que ela pensou que eu estava em dúvida. Porque, no dia mesmo, você tem dúvida... Eu não queria desistir, mas ela percebia a insegurança que vem de não morar juntos antes do casamento, como se faz hoje. Minha mãe falou que eu não tinha ido ainda, que não precisava ir. Que mãe que diz isso naturalmente? Essa imagem eu tenho dela. Não fui criada para me casar".

Luiza Helena tinha escolha, o jeito que vivera sua vida lhe dava liberdade. Era independente, trabalhava e ganhava seu próprio dinheiro, assim como Erasmo. Depois de seis anos de namoro, deve ter sido a vontade de ter filhos que determinou a ida ao altar. Organizaram eles mesmos tudo, declinaram as ofertas de ajuda das famílias, custearam sozinhos a celebração.

O casamento foi em 4 de julho de 1974, na Sé Catedral Imaculada Conceição. Foi uma cerimônia religiosa tradicional, sem ostentação, com a presença de parentes próximos e amigos íntimos. Pelas fotos, percebe-se um padre afetuoso. Luiza aparece de olhos mais vivos ainda que as espoletas castanhas de costume. Está elegante, num vestido sem volumes, com flores bordadas nas mangas e barras, maquiada e penteada com capricho medido. Erasmo, bem-posto num terno escuro, transborda paixão. Luiza Helena parece se divertir com o abraço que Erasmo, olhos cerrados, dá no confessor, que retribui com um beijo no rosto do noivo.

Depois da festa, no mesmo clube de campo em que se viram pela primeira vez, o casal partiu em lua de mel, rumo a um destino brasileiro que ansiavam conhecer, o Rio de Janeiro. Escolheram o Hotel Sol de Ipanema, à época o único à beira-mar do bairro, e lá passaram quinze dias de descanso – tudo que Luiza podia se permitir.

Só na volta a Franca, num apartamento perto do Magazine que comprou e mobiliou, Luiza organizou o que as mulheres passavam a juventude preparando: um enxoval. Tomou providências: contatou alguém especialista no assunto e desenrolou.

"Ela me procurou e disse: 'Não comprei nada do enxoval até agora. Fala pra mim, o que eu preciso, hein?'. Eu listei pra ela lençóis, toalhas e essas coisas. Nós rimos muito!", conta a comadre Ana Amélia Ribeiro, fiel escudeira nas dúvidas domésticas.

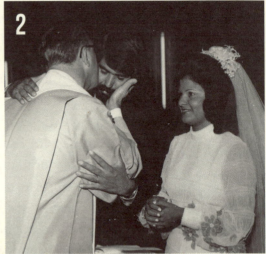

1. CASAMENTO DE LUIZA HELENA E ERASMO, 1974.
2. UNIÃO ABENÇOADA POR DOM DIÓGENES.
3. LUIZA E ERASMO, AO CENTRO, COM JOVENS DOS GRUPOS CATÓLICOS.

4. COM O FILHO E ANIVERSARIANTE FREDERICO.

5. COM A FILHA ANA LUIZA.

6. COM A FILHA LUCIANA.

7. ERASMO, ANOS 1970.

8. LUIZA, O MARIDO E OS FILHOS NO RÉVEILLON DE 1996.

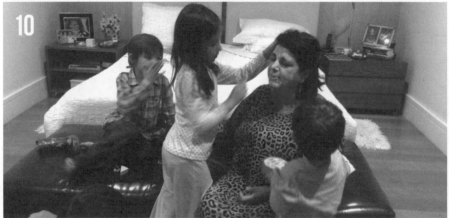

9. COM MÔNICA E MÁRCIA, AMIGAS DE TODA HORA.

10. FOLIA COM OS NETOS RAFAELLA, PEDRO E ANTOINE.

11. VÔ NENÊ.

12. LUZIA, JACIRA, MARIA E LUIZA, IRMÃS UNIDAS, 1982.
13. JACIRA E CLARISMUNDO.
14. TIA LUIZA E TIO PELEGRINO.

ERASMO E LUIZA HELENA, NAMORADOS, 1973.

CAPÍTULO 14:
"NÃO PEGUE CULPA!"

Pareciam se complementar, Luiza e Erasmo. Como se o encontro deles se desse no meio do caminho, entre a força feminina e a doçura masculina. Dela, agitação, dele, placidez; ela e as novidades, ele e as tradições; ela e o trabalho dela, ele e a família deles. Claro que essa é uma simplificação, grosseira como podem ser as simplificações, mas serve para sugerir a dialética própria do casal. Quase todos os dias, ele ia buscá-la ao fim do expediente. Quase todos os dias, ela demorava a sair. Nas prioridades de Luiza Helena mantinham-se o trabalho, o Magazine, a evolução profissional, o compromisso com a expansão do negócio. Erasmo tinha paciência, esperava por ela o tempo que fosse.

Amigos testemunham essa complementaridade. Para Janisse Mahalem Lima, que conviveu com o casal desde a juventude, "Erasmo tinha uma qualidade de poucos homens: sabia ser marido de uma mulher conhecida. É preciso competência para isso. Ele dava suporte a ela e nunca tentou disputar com sua imagem pública. Quando percebia que se aproximavam dela para tirar alguma vantagem, ele dizia: 'Luiza tá cansada, nós vamos descansar'. Mas sem ser antipático. Era uma coisa de cuidado mesmo. Ele ouvia as histórias dela com a mesma admiração dos outros. Eu ficava encantada e falava isso para Erasmo. Ele me dizia que já tinha gente demais competindo com ela".

Erasmo e Luiza Helena nunca trabalharam juntos, nem poderiam. Vigorava, como ainda vigora, a regra pétrea criada na origem do Magazine Luiza: agregado não pode ser empregado.

Em 23 de março de 1976, ano em que se torna sócia do Magazine, Luiza deu à luz um menino, que ficara na barriga da mãe o máximo que pôde. "Eu não entrava em trabalho de parto. Quando estava perto de completar quarenta e duas semanas de gestação, o médico fez uma cesárea. Se não tivesse esse recurso na época, eu podia ter perdido o nenê, assim como aconteceu duas vezes com a minha mãe", conta Luiza.

O nome Frederico foi uma escolha do pai, como combinado se nascesse do sexo masculino. No caso de uma mulher, o nome já tinha sido escolhido pela mãe e foi dado à segunda filha, Ana Luiza, nascida dois anos depois, seguindo o fio de Luizas da família. A tradição só foi interrompida com a terceira filha, Luciana, batizada por Erasmo: "Há suficientes Luizas…".

"Nunca disse para os meus filhos, quando tinha que sair, que não podia ficar com eles por causa do trabalho, como se fosse algo ruim. Eu gostava de trabalhar, dizia a eles que era bom. E nunca me culpei por isso." Mais uma vez, Luiza tinha aprendido a lição de independência da mãe, Jacira, que foi logo avisando que criação de filho não tem receita, seja pra quem trabalha fora ou quem fica em casa. Sábias palavras de Jacira: "Minha filha, filho é amor, responsabilidade e bom senso. Não pegue culpa. Até porque, se os filhos derem certo, as pessoas vão dizer que Deus os criou. Se derem errado, vão dizer que foi você".

Pedro – *Suas filhas são quem mais enfrenta você?*
Luiza – *Filho de modo geral é o que mais te deixa impotente. A gente se acostumou em família a confrontar. Se eles acham que não estou certa, confrontam. Se confrontam comigo como eu me confronto com eles. Teve uma mulher da Universidade Stanford que fez uma entrevista com o Frederico e perguntou: "Como é assumir tanta responsabilidade? Você tem três filhos, você tem casa, você tem mulher…". Ele respondeu: "Fui criado por uma mulher que sempre foi líder, e ela almoçava normal, tomava café normal, era tão normal que eu nunca percebi, acabei levando isso também". É tão normal a minha vida. Eu sou uma pessoa tão normal…*

PEQUENO GLOSSÁRIO DE LUIZA HELENA

NÃO PEGUE CULPA!

- **1:** NÃO SE DEIXAR APRISIONAR POR VALORES QUE NÃO SÃO NEM SEUS, NEM REAIS.
- **2:** NÃO PERCA TEMPO.
- **POR EXTENSÃO:** PRATIQUE O PERDÃO, COMECE POR VOCÊ.
- **SINÔNIMOS:** NÃO SE FAÇA DE VÍTIMA.
- **ANTÔNIMOS:** MIMIMI.
- **ADVERTÊNCIA *IN MEMORIAM*:** AS MULHERES, EM ESPECIAL, TENDEM A "PEGAR" CULPA, COMO QUEM CATA FRUTA PODRE NO CHÃO. MAIS UMA LUZ ACESA POR JACIRA, QUANDO LUIZA HELENA TORNOU-SE, ELA MESMA, MÃE. COM JACIRA, APRENDEU QUE OS FILHOS CRESCEM, SE FORMAM E TOMAM SEUS CAMINHOS, INFLUENCIADOS POR FATORES DIVERSOS. "MINHA FILHA, EXISTEM MÃES QUE TRABALHAM FORA E TÊM FILHOS COM PROBLEMAS. ALGUMAS TRABALHAM E TÊM FILHOS ÓTIMOS. OUTRAS FICAM EM CASA E TÊM FILHOS ENCAMINHADOS. EXISTEM TAMBÉM AS QUE FICAM E TÊM FILHOS PROBLEMÁTICOS, ENTÃO…" PODE-SE TENTAR AJUDAR OS FILHOS, MAS CULPA NÃO AJUDA NINGUÉM.

O primeiro meio-expediente pré-parto de Luiza Helena foi no dia da chegada de Fred. Dois dias depois, ela estava de volta ao batente. Fred cresceu numa configuração familiar em que o poder era exercido pelas mulheres: "Eu estou numa família em que a protagonista do ponto de vista da questão econômica, quem colocava mais dinheiro em casa, era a mulher e não o homem, sempre achei supernormal. Meu pai sempre lidou muito bem com isso, nunca quis competir com ela nesse contexto. No estereótipo, ele era a mãe e ela era o pai. Isso é uma simplificação exagerada, porque ele sempre foi o disciplinador da família, exigia mais em vários aspectos".

Ana Luiza veio à luz no 30 de maio de 1978, depois de a mãe cumprir a tradição de atender ao horário matinal no Magazine. "A gente não foi ensinada assim: 'Vem aqui no colinho da mamãe...'. A gente foi ensinada desde criança a confrontar. Confronto, não o negativo, mas confrontar, ter uma opinião. E a minha mãe ensinou muito bem isso pra gente. Tem um problema na escola? Você é grande o suficiente, confronta. A gente foi ensinada a confrontar situações, a confrontar nas reuniões, a colocar opinião."

No dia 6 de dezembro de 1979, grávida de nove meses, Luiza Helena cumpriu o mesmo ritual de seus dois partos anteriores. Foi trabalhar como num dia normal, com saída programada às 11 horas da manhã para a maternidade, para a cesariana da terceira filha. "Minha mãe é multidão e mistura. Ela é uma máquina de perguntas. Ela nunca falava 'não pode'. Ou, quando queria falar 'não pode', mandava um 'fala com seu pai'. Minha mãe sempre foi diferente do padrão, pra tudo. Sempre foi a mãe diferente, mas muito presente", diz a mais nova, Luciana, com a clareza de quem chegou por último e se beneficiou de um certo relaxamento nas rédeas parentais.

Dos três filhos, Fred e Luciana permanecem próximos ao negócio da família, ela como publicitária, ele como CEO do Magalu. "Ela é pragmática, gosta de fazer acontecer, de pôr em prática. Também sou um cara que tem vida própria e autonomia. Procuro valorizar e potencializar as coisas que recebo, tanto dela, quanto da minha tia. Mas a minha mãe sempre ensinou a gente a não mitificar, a não idolatrar de maneira cega. Eu sempre defendo o legado da minha tia, da minha mãe e da companhia. Mas não trabalho para o legado da Luiza Helena. Procuro não individualizar o legado, nesse sentido. Eu acho que é o legado de uma família, de uma instituição", diz Fred.

Chef de cozinha, Ana Luiza, a filha do meio, levou o estilo Trajano para outro ramo. Ainda que professe, e pratique, a liberdade de escolha como busca da felicidade, Luiza Helena vive lá suas contradições de mãe. Não aceitou com facilidade as decisões profissionais de Ana Luiza. "Quando eu escolhi essa profissão... não foi simples. Imagina, estou falando de uma época no Brasil em que Gastronomia era curso profissionalizante, as faculdades vieram depois que me formei", lembra Ana Luiza.

Luiza Helena educou os filhos na arte do confronto de ideias. Funcionou. "Minha mãe não formou a gente para trabalhar na empresa, mas sou muito próxima dela na forma de gestão de pessoas. Fiz Administração de Empresas, nós sempre trabalhamos no Magazine durante as férias. Não esqueci o que ela disse numa reunião: 'A gente precisa trabalhar com o que nos deixa feliz'", narra Ana Luiza.

Quando se manifestou a resistência materna à escolha profissional de Ana Luiza, a filha usou os argumentos que aprendeu com a mãe para dobrá-la. "Eu trabalhei desde os 16 anos, fiz estágio no Magazine, com Sergio Arno. Antes de eu fazer a formação em Gastronomia, o Sergio falou para minha mãe: 'Luiza, não tem jeito, a Ana gosta desse ramo, ela tem talento para esse ramo, acho que você tem que deixá-la se experimentar'. Um dia em que ela estava batendo muito de frente comigo, eu falei: 'Mãe, você tem que ser coerente. Você fala na sua palestra que é para a pessoa trabalhar com o que tem paixão, no que tem amor. Você gosta de vender panela, eu gosto de cozinhar nela. Ponto'."

Touché!

Na função maternidade, Luiza Helena aplicou, com a determinação habitual, seus conhecimentos de gestão empresarial. Usava na educação dos filhos o que vivenciava no trabalho. Criava reuniões de feedback, promovia debates sobre pontos fracos e pontos fortes, estabelecia metas. Reavivou métodos de cooperação e pensamento sistêmico absorvidos da cibernética social. Se tentarmos sintetizar a filosofia de educação da mãe Luiza Helena, podemos afirmar que tinha dois objetivos principais: ensinar aos filhos que tudo está interligado, e que seria melhor que cedo entendessem que a vida não devolve apenas o que se espera dela. Em outras palavras: que soubessem as consequências de seus atos e lidar com as frustrações.

Os filhos tinham de comparecer a reuniões semanais, em que todos deviam expor o que estava indo bem, propor soluções para o que andava mal, e até escolher palavras para expressar, por exemplo, um sentimento sobre determinada experiência. "Se a gente tivesse voltado de uma viagem, ela dizia: 'Agora todo mundo vai dizer uma palavra que resume o que significou essa viagem para si'. E era: 'aventura', 'crescimento', esse tipo de coisa... Ela aplicava as dinâmicas que aprendia todas na gente", lembra Luciana, aos risos. No mínimo, mantinha a unidade do time, como autodefesa. "Somos muito unidos. Um sempre apoiou e valorizou o outro. Até como reação a essa mania da minha mãe de testar as dinâmicas todas na gente", diz Ana Luiza, com o sorriso da mãe.

Se Luiza trazia as novidades, de dinâmicas de gestão a viagens, Erasmo prezava a ordem familiar, a autoridade, era quem dizia não. Luciana: "Meu pai era superforte, vinha de família mais rígida, de certa forma autoritária... Foi a criação que recebeu. Eu falo que ele fazia o 'bad cop'... Ela era um pouco brava também, mas tinha um pouco de medo de... sei lá... bater o carro por distração e tomar bronca dele. Ela foi crescendo no trabalho e sendo cada vez mais atuante, líder… Só que ainda temia ser repreendida por ele, o que era até engraçado".

Frederico conta que ele e a mãe sempre tiveram afinidade intelectual, uma proximidade natural que custou a ter com o pai. "Eu e minha mãe fomos sempre próximos, conversávamos muito. Mas, com meu pai, só fui me conectar já mais velho, com 20, 30 anos. Ele nos dava carinho e conforto emocional, sempre foi um pai presente."

A olhos rasteiros, acostumados a ver mulher organizando a casa e homem garantindo o sustento, a ordem parecia do avesso. Frederico cresceu com a noção de que sua família era diferente da dos amigos. "Meu pai sempre a admirou muito. A minha mãe, por outro lado, respeitava muito o lado masculino dele. Mesmo quando ela discordava, achava importante que algumas opiniões dele sobre assuntos da família prevalecessem."

Erasmo tocava seu posto de gasolina, Luiza crescia com o Magazine. Contavam com a ajuda da família e de empregados para que não faltasse atenção aos filhos. Jacira era uma avó muito ativa, participava da criação dos netos, com o bom senso que lhe caracterizava. Tudo era um pouco mais fácil por se tratar de cidade de distâncias curtas e tempos mais longos.

Ana Luiza descreve a vida francana: "A nossa sorte foi ter crescido no interior. Tinha a Lúcia, nossa segunda mãe, que cozinhava. Minha mãe e meu pai tinham o hábito de voltar pra casa para almoçar e jantar. Para ir à escola, havia temporadas: um levava de manhã e o outro buscava no almoço. Minha mãe preferia levar, porque gostava de acordar cedo. A gente preferia assim, porque para pegar ela tinha que sair do trabalho e vira e mexe se atrasava. Em fim de semana, íamos pro rancho ou pra fazenda. Era uma rotina convencional de uma família do interior".

Nem tão convencional. Luiza era uma mãe diferente. Além de trabalhar e viajar muito, de ser quem trazia as novidades, levar as crianças a eventos e reuniões não necessariamente infantis, ela preferia, na dúvida, sempre dizer sim a não. Quando chegou a puberdade, ela se voluntariava a reunir grandes turmas de amigos dos filhos no rancho da família, nos fins de semana. Entendia-se melhor com adolescentes, para ela, mais fáceis de lidar do que crianças pequenas.

Apreciava as perguntas e o inconformismo *teen*, ainda aprecia, comunica-se fácil com os mais jovens, os conquista. Levando todo mundo pro rancho, dava liberdade pra moçada e criava um ambiente seguro. "Era uma casa pra onde todo mundo queria ir. Nossos amigos adoravam minha mãe. Ela levava todos para o rancho, trinta, quarenta adolescentes! Inventava um monte de coisas pra gente fazer, colocava umas regras básicas de convivência e ficava de olho em nós. Funcionava super bem, todo mundo adorava", diz Luciana.

Mãe patroa? Talvez, se nos permitirmos uma providencial reinterpretação do clichê. Como patroa, Luiza Helena sempre foi singular, não se deixou encaixar em modelos autoritários ou paternalistas. Como mãe, também escapou a convenções pouco efetivas. Para filhos e funcionários, valia o estímulo à iniciativa, autonomia, e consequente responsabilidade.

Que Frederico, Ana Luiza e Luciana não se metessem em encrencas, ou, se tal, que soubessem sair delas. Que dessem conta de suas responsabilidades, a começar pelos estudos. E o mais importante: "que tocassem na banda, em lugar de ver a banda passar". Mais uma das frases de Luiza para ilustrar que na vida é importante ter propósitos, ser produtivo para alcançá-los, e não se deixar pautar pelos anseios de outros. "Eles foram criados para ser autorresponsáveis e confrontar as coisas e as pessoas com respeito sempre e sem levar para as críticas o lado pessoal", diz Luiza.

"Eu sei qual é a missão, o propósito na nossa família. Nasci dentro de uma família de pessoas que sabiam quais obrigações precisavam ter como seres humanos", diz Ana Luiza. Sem ser instada a isso, discorre com clareza sobre a argamassa imaterial dos Trajano: "O melhor da minha família são os valores que nós temos, a cumplicidade que a gente tem, o nosso compromisso com a sociedade, de fazer desse mundo um mundo melhor – o nosso compromisso com os laços familiares e dos nossos amigos".

PEQUENO GLOSSÁRIO DE LUIZA HELENA

TOQUE NA BANDA, EM LUGAR DE VER A BANDA PASSAR.

- **1:** ARRISQUE-SE, NÃO SE ESCONDA.
- **2:** APRENDA UM INSTRUMENTO
- **POR EXTENSÃO:** TODO INDIVÍDUO SÓ O É PORQUE HÁ O COLETIVO.
- **SINÔNIMOS:** CONTE SUA HISTÓRIA, DIGA A QUE VEIO.
- **ANTÔNIMOS:** LADAIRO, FUNERAL.
- **ADVERTÊNCIA:** AO TORNAR-SE MÃE, LUIZA HELENA VIU SUA LISTA DE PREOCUPAÇÕES BÁSICAS CRESCER. FEZ ENTÃO POR REDUZIR AO MÍNIMO SUA LISTA DE EXPECTATIVAS COM OS FILHOS. ENTRE ELAS, DESTACA A QUE DIZ RESPEITO À BUSCA DE PROPÓSITO. TRADUZIU SEU RECADO NA METÁFORA MUSICAL E O AMPLIOU: SEJA AGENTE DE SUA VIDA.

LUIZA HELENA EM MARSEILLE (FRANÇA), 1968.

CAPÍTULO 15:
PAIXÃO

"isso de querer
ser exatamente aquilo
que a gente é
ainda vai
nos levar além"

Paulo Leminski

    A década de 1980 marca o início da expansão do Magazine. Como seu empreendimento, Luiza Helena também se abre para o mundo. Conhece novos lugares, novas pessoas, outras maneiras de ver a vida, outras formas de estar no mundo. Intensa até para comer uma jabuticaba, com Luiza não tem *small talk*, conversa de salão. Quando em um lugar, ali ela está, íntegra e integral, toda sua atenção a quem está com ela naquele momento, inteira presente no tempo presente.

    Expondo-se ao mundo com o destemor que vai se expor, inevitável que Luiza Helena se dê conta de suas limitações, que seja exigida e se exija, que olhe para dentro para se autoexaminar. Uma pessoa com a inteligência crítica dela não cessa de se investigar. Aos desafios que a vida apresenta, ela acrescenta seus próprios conflitos íntimos, precisa se conhecer, se decifrar, rever as peças que a formaram.

Quer identificar que preconceitos traz e não percebe, que juízos prontos carrega, que contradições há entre seus ideais e sua prática, entre seu compromisso racional com a justiça e a liberdade e os bloqueios emocionais que perigam a impedir de avançar. Logo, ela irá buscar se entender na terapia psicanalítica, mas antes de iniciar tal investigação dos caminhos de seu desejo com auxílio profissional, segue primeiro o desejo. Não é mesmo dela isso de caos antes da ordem?

Desafiada por um mundo masculino, descobre-se, cada vez mais, mulher. E descobre que a ideia de mulher que lhe venderam está, no mínimo, incompleta. Na formulação clássica de Simone de Beauvoir, "não se nasce mulher, torna-se mulher". Para se tornar mulher, Luiza Helena necessitou repassar sua vida de menina do interior, acolher e compreender a moça que se casou com o primeiro namorado, dar a ela as chances que merecia, a oportunidade de revisar os "autos do processo" de sua constituição psicológica. Não é uma averiguação apenas racional, é uma necessidade profunda de se entender como ser desejante, de se permitir viver emoções e experiências para além das regras flácidas da moral e bons costumes.

Para o filósofo Baruch Spinoza, "liberdade é conhecer os cordéis que nos manipulam". Luiza Helena tem um compromisso existencial com a liberdade e a honestidade, nunca teve medo de se conhecer, ainda que pudesse se machucar e machucar.

Luiza – *Eu só tenho dois arrependimentos na vida. Não ter namorado mais e não ter morado fora do Brasil um ano. Porque agora eu fiquei viúva. Eu não tive ex-namorado.*
Pedro – *Foi essa vontade de namorar que causou a separação que vocês viveram nos anos 1980?*
Luiza – *Eu acho que foi, Bial. Eu não tinha vivido outras experiências. Ele entendeu também, tanto é que nós voltamos. Ele pode ter até não ter gostado, não era o que queria, mas eu sou muito verdadeira.*
Pedro – *Você se apaixonou por outra pessoa, foi isso que aconteceu?*
Luiza – *É. Eu tive uma relação, ele sabia. Foi muito pesado para mim, minha tia implicou muito. Ela na época era alucinada por mim. Ela tinha ciúmes.*
Pedro – *Vocês passaram seis, sete anos separados?*
Luiza – *Seis anos.*

"Onde já se viu separar? Ninguém separa!", reagiu tia Luiza, indignada ao saber que Luiza Helena e Erasmo estavam se separando. *Oh tempora, oh mores!* Ó tempos, ó costumes. Tem dois mil anos o lamento do romano Cícero e nunca perdeu atualidade. Ainda que firme em sua decisão, Luiza Helena era sensível a seu tempo e à família, mas aplicava aos outros o rigor da honestidade que mantinha consigo. Não houve conflitos conjugais sérios para que o casal chegasse, de comum acordo, depois de dez anos juntos, a uma pausa no relacionamento.

"Eu não tinha tido outras experiências afetivas. Tinha sempre trabalhado muito e enfrentado as coisas sem pensar no meu lado feminino. Disse isso claramente ao Erasmo, sou verdadeira. Ele pode não ter gostado, mas entendeu o que eu estava sentindo", conta Luiza.

Claro que foi um pequeno terremoto na família. Morando noutra casa, Erasmo continuava próximo e presente, cuidava da rotina dos filhos, Frederico, Ana Luiza e Luciana, ainda pequenos. Cada um reagiu à nova dinâmica familiar a sua maneira. "É lógico que a gente sentiu. Mas não sofreu, porque a rotina foi preservada. Papai tomava café, almoçava e jantava em casa", diz Ana Luiza, pragmática como a mãe.

Luciana analisa: "Eu admiro muito minha mãe, que foi buscar felicidade. Agora que somos casados, tem horas que a gente mesmo pensa 'será que esse casamento faz sentido ainda?' Nisso ela foi pioneira, separou lá atrás, sob os olhares de todos, numa cidade do interior... Minha tia era muito rígida, e minha mãe ia seguindo o fluxo dela, até que se permitiu avaliar. A gente acha bonito que meu pai tenha ido reconquistá-la e que eles tenham voltado depois de um tempo. Eles eram grandes companheiros, e tudo sempre foi harmônico. Não lembro de brigas. Minha mãe inclusive ajudou a fazer a casa do meu pai quando eles se separaram".

Luiza Helena fala com admiração de seu companheiro de vida: "Mais uma vez, Erasmo foi ganhador.

No sentido de não desistir, de não criar problema... Na minha família, valia muito mais a força da mulher do que a do homem. Aí você termina meio assexual. Isso eu trabalhei em terapia, que eu tinha meu lado mulher, que podia explorá-lo...".

Luiza teve uma psicanalista em Franca durante alguns anos, num trabalho de resgate de desejos que acreditava adormecidos, atropelados pelas circunstâncias e exigências da vida. "O que a terapia me deu foi o resgate da minha feminilidade. Aprendi a ter vaidade, mais do que ser forte como mulher, porque isso eu já era."

Quem se lembrar de Luiza usando calças compridas, só se já frequentou seu rancho. "Não queria aderir à imagem masculina. Nunca usei ombreira e, até hoje, não uso calça comprida para trabalhar. Comprei uma agora para passear e até estranhei um pouco. No começo, só ia trabalhar de vestido, acho que também para marcar uma posição. Eu quero ser feminina", diz Luiza.

LUIZA HELENA FAZENDO O QUE GOSTA, INAUGURAÇÃO, ANOS 1980.

CAPÍTULO 16:
PAI E MÃE

"Pai e mãe
ouro de mina
coração
desejo e sina"

Djavan, "Sina"

Luiza Helena tem uma limitação que parece insuperável. Não se entende com música, é quase um bloqueio, assobiar uma melodia pode ser um desafio. A incompatibilidade musical talvez seja legado de uma experiência traumática de infância. Quando menina, foi submetida a aulas intermináveis de sanfona, com um acordeão maior que ela. Só mais tarde Luiza entenderia a motivação por trás das lições de acordeão, que teriam origem na frustração da vida de Clarismundo, seu pai. Luiza iria conhecê-lo melhor depois de sofrer a primeira grande perda de sua vida.

Jacira padecia de asma severa, tinha crises sérias, regulares. Em 21 de março de 1985, depois de um episódio asmático grave, ela estava em São Paulo, para uma série de exames. Quase recuperada, os médicos a liberaram para voltar a Franca. Ao deixar a clínica, Jacira teve uma parada cardíaca no elevador e morreu, aos 64 anos.

"Ninguém estava esperando por isso, parecia mais uma crise das que ela saía sempre", lembra Luiza, que à época estava com 39 anos. "Eu estava em Araraquara, de manhã eu tinha falado com ela e estava tudo bem. Ela iria no fim da tarde para Franca. Uma turma de nossos funcionários não me deixava ir embora, e eu não entendia por quê. Minha tia Luiza havia ligado, queria me dar a notícia, pessoalmente. Mas estava tão desesperada que quando chegou, falou de cara: 'Sua mãe foi para o céu'. Assim, ali, no meio da rua. Ela estava tão mal… Tinha ido só para não deixar os outros me contarem, para eu não sofrer. Até hoje tenho essa cena na cabeça."

A dor foi agravada pelo caráter súbito da perda. "Foi um baque, mas sabe por que também? A gente não tinha mudado de papel ainda. Eu estava bem filha. Tem um momento na vida em que as coisas se invertem, você vira mãe dos seus pais, e se sente menos despreparada."

Luciana, Ana Luiza e Fred sentiram o golpe do desaparecimento repentino de uma avó tão presente, como lembra o primogênito: "A gente dormia muito na casa da vó Jacira, ela nos levava café na cama. Era uma relação de muito carinho e afeto. Eu sofri muito quando ela morreu, porque já tinha consciência do que é perder para sempre uma pessoa. Mas o que ficou é essa sensação de ser muito bem acolhido e de adorar ir lá".

A perda da mãe acabou por aproximar Luiza de seu pai, como nunca antes. Clarismundo, o Vô Nenê, tinha sido como os homens de sua geração: provedor, dedicado ao trabalho, apenas orbitando em torno do dia a dia da casa e dos filhos. Com a convivência maior e a intimidade crescente, Luiza Helena desenvolveu um entendimento da psicologia do pai. Compreendeu por que Clarismundo nunca fora um homem apaziguado, reconheceu nele o vazio de desejos e vocações não realizadas. "Meu pai era muito sensível, teve muito problema emocional ao longo da vida."

Na interpretação amorosa da filha, a grande paixão pela música de seu pai, seu talento interditado pelas circunstâncias da vida, teria manietado sua base emocional. Tentou remediar sua frustração através da filha, levando-a aos 7 anos a praticar sanfona com um amigo: "Meu pai mesmo tocava o acordeão de ouvido, fácil. Mas tinha esse amigo dele professor, e me botaram lá. Foi ruim. Não levo o mínimo jeito pra música e peguei até um trauma". Nas fotos, aparece a pequena, metade do tamanho do instrumento.

Luiza Helena viveu com o pai os últimos catorze anos de vida dele. Buscou algum tipo de compensação para um homem que teve tantas emoções represadas. Nada de outro mundo, ele só gostava, muito mesmo, de festa...

"A morte de minha mãe deixou um buraco muito grande, mas eu pude resgatar meu pai. Descobri que ele tinha muito talento musical, que não desenvolveu na época, uma veia artística que por falta de oportunidade foi descartada. Minha mãe contava que, por isso, ele tinha uns tipos de 'estresse de nervo'. Depois de conseguir pôr isso para fora, ele se acalmou."

Pela ocasião de ouvir música, brincar e dançar, Luiza Helena se deu conta do quanto seu pai adorava mesmo festa: "Quando a Ana Luiza fez 15 anos, ele já morava comigo. A gente já fazia essas festinhas, normais. Percebi que ele ficou meio assim, como se quisesse uma festa grande. Perguntei, ele falou: 'Eu sempre pensei nisso'. Então, durante uns dez anos, no aniversário dele, a gente fez uma festona muito grande".

Luiza Helena não perdeu mais oportunidade. Fosse "arraiá" junino, fosse aniversário dos filhos, e acima de tudo, fosse dia de anos de Clarismundo, as festas eram caprichadas – a felicidade de Vô Nenê! "Ele escolhia os convidados, vibrava muito antes da festa, tinha uns dois meses de serviço para distribuir convite, escolher cardápio, escolher tema", lembra Luiza.

Visto hoje pela lente póstuma, parece um gesto involuntário de generosidade de Jacira. Quando partiu, deixou a chance do reencontro entre filha e pai. Depois de anos de convivência feliz com a filha e os netos, Clarismundo morreu, aos 90 anos, em 4 de dezembro de 1999.

CAPÍTULO 17:
"VAMOS APROXIMAR AS PESSOAS!"

"Eu prefiro abrir as janelas
Para que entrem todos os insetos"
Caetano Veloso, "A tua presença morena"

No século XXI, virou moda. A partir do Vale do Silício e suas empresas disruptivas, foi superada a noção de escritórios como lugares compartimentados de forma rígida, mesas e cadeiras entre paredes ou divisórias. O novo ambiente de trabalho propunha a integração permanente e dinâmica dos diversos departamentos de uma firma.

Quando, em 1991, Luiza Helena assumiu a superintendência geral do Magazine, pode até ter levado em conta a potência simbólica do gesto, mas tomou a decisão por imperativos práticos, operacionais: mandou derrubar todas as paredes da administração da empresa. Dali em diante, o que fosse feito seria visto por todos, o que fosse dito seria ouvido por todos. Para que um documento fosse enviado de um departamento a outro, deixava de ser necessário o uso de office boy ou mensageiros.

Para Telma Rodrigues, que trabalhava perto de Luiza Helena havia quase dez anos, sua chegada ao principal posto da empresa foi uma conquista pessoal. "Sabe quando você tem algo que conquistou e já é um direito seu? Pelo histórico dela de trabalho. Eu já estava lá desde 1985, via a Luiza Helena trabalhar dia e noite: atender cliente, fornecedor, propaganda…"

Onofre Trajano, diretor administrativo e porta-voz do Magazine, anunciou, para o público externo e interno, a nova Luiza, sua sobrinha, no comando. "Ele tinha acesso político, já tinha sido presidente da associação comercial, suas relações externas eram muito boas", explica Douglas Matricardi, hoje diretor de operações do Magalu. "Onofre gravou um vídeo para as lojas, para o centro de distribuição, fez reunião com todo o escritório, e se posicionou em nome da família: estamos nos afastando, vamos para o Conselho. Luiza Helena assume a superintendência."

Muito antes desse anglicismo existir, Luiza Helena "empoderou" as equipes, assim responsabilizando-as por mais que apenas a parte que lhes cabia no todo da empresa. Ao quebrar protocolos e paredes, desafiava a todos, ampliava as relações de confiança: palavra dada é palavra cumprida. Em um lance, Luiza Helena feriu de morte o burocratismo, de um dia para o outro perdiam o sentido os memorandos trocados entre as áreas, com zelo protocolar. Telma Rodrigues foi testemunha do choque cultural: "Ela acabou com aquela coisa de protocolo de uma área para outra: 'Te mandei o documento, você recebeu, não recebeu?'. A mania das pessoas de entregar a responsabilidade para alguém resolver".

Acontecia no plano administrativo uma deformação comum em grandes organizações. Os diferentes departamentos se "feudalizavam", obravam mecanismos que supervalorizavam suas atribuições e abusavam desse poder. Se Telma, que trabalhava noutra área, precisava, digamos, ir ao departamento de tecnologia, tinha que ter autorização pra entrar. Para fazer algo que envolvesse outra área precisava de memorando interno, tudo quadradinho. Luiza Helena proclamou: "A partir de agora, vai ser olho no olho. O que falar aqui dentro, vai ter valor. Se você acerta algo com outra área, isso vai ter valor. Vamos aproximar as pessoas!".

Depois de tirar todas as divisórias físicas, Luiza reuniu o grupo inteiro, pediu para levarem toda a papelada, autorizações, memorandos, relatórios. "Empilharam, ficou uma cena impressionante de tanta coisa que era impressa. Eram relatórios de controle diário. E ficou aquela coisa: agora, no olho no olho, vai precisar desse relatório? Não, assentiram todos os presentes", lembra Telma.

A nova superintendente pediu também que todos trouxessem sugestões com o que julgavam precisar ser feito na empresa. Telma descreve: "Jogamos um pacotão na frente dela. Ela fez então seu discurso de posse: 'Agora cada um volta, pega aquilo que é seu e vai trabalhar no que tem de mudar. Vocês podem mudar tudo que quiserem, desde que entrem em consenso e que a área afetada dê concordância na mudança que outra está aprovando'".

A jovem líder, 43 anos incompletos então, produzia seu próprio gênero de caos, rompia com a inércia, botava sua gente para pensar e buscar novos sentidos para o que fazia. A desalienação do trabalhador. Ana Paula Padrão conta como é:

"Luiza tem uma maneira de gerir muito aberta. Eu nunca a vi numa sala fechada. Então, passam por ela todas as demandas, sucessos e crises dentro do ambiente do Magazine Luiza. Antes era um escritório pequeno em Franca, de vidro, com portas abertas. Tudo que ela fazia lá dentro, desde tomar o café até os telefonemas e reuniões, era visto e observado por quem estivesse ali. Mas o dia não é feito só de formalidades, o dia oscila. Tem hora que se fica desesperado com alguma coisa, tem hora que alguém não foi avisado que uma reunião foi antecipada. Aí, ela grita lá da sala mesmo: 'Fulano, você não avisou o ciclano que a gente antecipou isso em meia hora, agora o resto do meu dia vai ficar assim...'. E ela fala mesmo, na frente de todo mundo."

■ ■ ■

Se o caos promovido pela nova governança do Magazine tinha intenções e resultados produtivos, no país a situação caótica era consequência inevitável de um novo governo voluntarista e, logo se saberia, minado por corrupção desde o seu núcleo. O Brasil vivia as consequências do confisco de Collor que, em vez de resolver, agravou a inflação descontrolada.

Enquanto, pragmática, punha em movimento limites concretos e conceituais de sua organização, Luiza Helena buscava embasamento e aperfeiçoamento teórico para seus métodos e procedimentos. Inscreveu-se, como se fosse uma estudante comum, no curso de Oscar Motomura. Como vimos no capítulo 6, quando Luiza encontra Oscar, ocorre uma conjunção de mentes inconformistas. Mas essa empatia não foi de cara. No início, Luiza Helena quase desistiu, não se identificou com as premissas apresentadas. O que não foi amor à primeira vista depois virou paixão intelectual. Luiza acabou se entusiasmando tanto que organizou um curso só para os líderes do Magazine. O investimento era considerável, e cada colaborador tinha que pagar a sua parte. Para os que não tivessem recursos, Luiza emprestava a quantia e facilitava o pagamento.

"Eu fiz o curso do Oscar Motomura parcelado em doze vezes, parecia um carnê. O curso era tão caro que o pessoal do Conselho do Magazine reclamava: 'Por que a Luiza está gastando dinheiro com esse povo todo?'. Mas Luiza não ligava, sabia o que estava fazendo", relata a fiel Telma Rodrigues, ex-diretora de Recursos Humanos.

Logo o investimento nos cursos de Oscar Motomura se justificou e se pagou com sobras.

COM OSCAR MOTOMURA.

CAPÍTULO 18:
VIRTUAL ANTES DO VIRTUAL

"Sobre as lojas virtuais, Luiza Helena costuma dizer que ela é a mãe, enquanto eu sou o pai."

Douglas Matricardi, diretor de Operações do Magazine Luiza

Em suas reflexões e provocações, Motomura propunha a solução de "equações impossíveis". Essa expressão pode parecer mera abstração, mas traduzia com perfeição alguns desafios que Luiza Helena enfrentava.

O Magazine precisava crescer, só que a situação econômica nacional não podia ser mais inóspita. Como expandir o negócio sem capital e sem perspectivas de criação ou aporte de novos recursos? Eis uma "equação impossível" que faz jus ao nome.

"E se lançarmos uma loja sem produtos?"

A pergunta ficou ricocheteando pelo recinto, fez-se silêncio. Era um dos debates promovidos por Luiza

Helena, comandados por Oscar Motomura. O funcionário que lançou a ideia tinha dez anos de casa, começara na T.I. (Tecnologia da Informação) e ascendera a cargos de confiança. Logo, Douglas Matricardi assumiria a Direção de Operações da empresa. Sua primeira intervenção no debate foi introdutória: "Como podemos fazer alguma coisa que tenha baixo investimento e ainda dilua o custo do que já existe?".

Motomura gostou do que ouviu: "É esse tipo de equação que temos que resolver! Não é só crescer, pessoal. Não adianta dar um monte de ideias que depois não dá para implantar porque não tem capital. Alguém se propõe a tentar resolver esta questão?", perguntou.

A resposta veio poucas semanas depois. Com o endosso de Luiza Helena, Douglas tinha montado uma equipe e formatado o projeto: "Que tal criarmos uma loja sem produtos?".

Diante da perplexa curiosidade dos presentes, Motomura pediu a Douglas que prosseguisse: "Fala mais! Como seria esta loja?".

Douglas explicou a sua estratégia: "O Magazine Luiza já tem loja em Ribeirão Preto, Uberaba, Franca, todas cidades grandes. Já fazemos propaganda na TV Globo de Ribeirão Preto, que alcança todas as outras cidades, grandes, médias e pequenas, da região. Dessas cidades menores, tem saído muita gente para comprar nas cidades maiores. O nosso caminhão, quando sai de Ribeirão para levar produtos para Franca, já passa por Batatais, Brodósqui... Por que não podemos parar nessas cidades menores e deixar os produtos que as pessoas já compraram?".

Não existia internet. A intenção era vender os produtos oferecidos através de catálogos. A inspiração vinha dos Estados Unidos, onde vingara um modelo parecido, em que os clientes pediam e recebiam o produto pelo correio. Caso o comprador não aprovasse o produto, a empresa devolvia o dinheiro. Com esse modelo, a empresa americana havia se tornado uma potência. Douglas tinha adaptado e sofisticado a ideia: "Podemos criar um negócio assim, uma loja sem produtos expostos, mas cheia de informações visuais sobre eles".

Além dos convencionais catálogos impressos, a loja "virtual/analógica" apresentava em imagens seus móveis, eletrodomésticos e linha branca. O videocassete já era popular e, além de vídeos promocionais dos próprios fabricantes, não era tão caro filmar para exibição em fitas VHS. Era uma forma diferente e moderna – futurista! – de seduzir a clientela e vender. Para dar vida à loja e atrair movimento, foram oferecidos cursos gratuitos sobre como utilizar os novos eletrodomésticos, artefatos de culinária, máquinas de corte e costura. Sim, era a reciclagem oportuna da ideia de tia Luiza nos primórdios do Magazine. "E para dar os cursos convidamos pessoas locais, como, por exemplo, a cozinheira com a fama de fazer a melhor empadinha da região...", relembra o criador Douglas.

A ideia não poderia ter vindo em hora mais propícia. Lojas de cadeias tradicionais estavam fechando nas cidades menores, como as Casas Pernambucanas. Criou-se uma oportunidade de mercado, a população ficara sem alternativas, havia demanda pelo Magazine. A primeira loja eletrônica, em Igarapava, foi inaugurada em 28 de julho de 1992. No mês seguinte, no dia 27 de agosto, foi inaugurada a segunda, em Cássia. Depois, em 25 de setembro, a terceira, em Batatais. As três lojas-piloto apresentaram resultados espetaculares. Mas Luiza conta que, no começo da iniciativa revolucionária, nem mesmo sua já estabelecida credibilidade facilitou.

"Tínhamos uma campanha de marketing muito boa, que dizia: *O Magazine está chegando com uma loja do ano 2000.* Mas claro que eu também me afligia, pois o cliente chegava e podia estranhar, não encontrava o Magazine que conhecia e a que estava habituado, era um estabelecimento diferente de tudo o que se conhecia até ali. Mesmo sem produtos expostos, arrumamos um jeito de devolver o ICMS para a cidade onde ficava a loja. Quando a mercadoria saía do depósito de Ribeirão, fazíamos uma nova nota de transferência. Fizemos questão de procurar o prefeito de cada uma dessas cidades e comunicar como as vendas seriam realizadas. Mas uma reação me incomodou, a de muitos fornecedores que, descrentes, tinham certeza de que aquilo era um brinquedo meu e que não ia funcionar... Até hoje tem gente que me pede desculpa."

A loja sem mercadoria foi um sucesso. A "equação impossível" tinha sido resolvida. Com investimento irrisório na nova modalidade de venda e diluição de custos preexistentes, a expansão se deu, segura e sustentável.

O Magazine aumentou seu volume de vendas sem gastar mais, ao contrário, abatendo gastos: formavam-se novas freguesias sem alterar a rota dos caminhões. O próprio valor do investimento em mídia na TV Globo diminuiu, rateado com as novas lojas. Hoje, o Magazine tem mais de duzentas lojas eletrônicas por Minas Gerais, Rio Grande do Sul, Santa Catarina e Paraná.

Bem antes de a internet passar a fazer parte da vida da gente, e muito antes de se ter meios e segurança para a prática do comércio eletrônico, o modelo das lojas sem produtos anunciou, inspirou e pavimentou o caminho do Magazine rumo ao mundo digital. Quando a internet chegou pra valer e o Magazine criou seu site de vendas, a empresa já tinha largado na frente da concorrência. A criação da loja eletrônica foi um marco do início da gestão de Luiza Helena e tornou-se *case* internacional investigado e reconhecido em Harvard como exemplo de inovação democratizante e bem-sucedida.

Na apresentação do *case*, a professora Frances X. Frei, da Harvard Business School, destacou, acima de tudo, a identidade excepcional do Magazine Luiza por sua política de varejo de *courting the poor* (cortejar os pobres) – o reconhecimento da efetividade de uma prática de Luiza Helena que se tornou "mantra" de seu sucessor, o filho Frederico, que sempre enfatiza a formulação: trazer ao acesso de muitos o que é privilégio de poucos.

Algumas observações da catedrática Frances Frei:

"A flexibilidade da varejista para aprovação de crédito aplica métricas não tradicionais, o que permite a clientes de renda mais baixa, menos segura, fazerem compras."

"O Magazine Luiza fez seu negócio mirando a base da pirâmide e é querido por funcionários e fregueses da mesma forma. Não conheço nenhum negócio que caiba nessa descrição nos Estados Unidos. Não fomos capazes de quebrar o código e 'cortejar os pobres' de maneira sistemática."

Ms. Frei chama Luiza Helena de "força da natureza", descreve como ela conduziu o processo de profissionalização da empresa familiar e destaca a façanha de, "apesar da natureza volátil da economia brasileira", o Magazine dar lucro de maneira consistente, sem falhar um ano. A professora de Harvard afirma que as lojas eletrônicas do Magazine da década de 1990 prepararam os consumidores para o comércio na internet, acostumando-os a examinar e escolher produtos a partir de imagens.

Sobre a formação de funcionários, Frances Frei fala da abordagem gerencial de Luiza Helena de *assisted freedom* (liberdade acompanhada) com foco no autodesenvolvimento, comunicação aberta e participação, e ressalta que a maioria dos trabalhadores tem 65% de sua base salarial fixos, e os 35% restantes baseados em vendas, crédito e produtividade.

PEQUENO GLOSSÁRIO DE LUIZA HELENA

SOU ADEPTA DA LIBERDADE ACOMPANHADA.

- **1:** FAÇA O QUE QUISERES, INCLUSIVE ASSUMIR AS CONSEQUÊNCIAS DO QUE FAZ.
- **2:** CONFIANÇA NÃO CEGA.
- **POR EXTENSÃO:** SOU LÍDER, MAS NÃO MAMÃEZINHA.
- **SINÔNIMO:** AUTONOMIA COM PRESTAÇÃO DE CONTAS.
- **ANTÔNIMO:** PATERNALISMO.
- **ADVERTÊNCIA:** PARA OFERECER INDEPENDÊNCIA, HÁ QUE PROVER AMBIENTE COM INSUMOS E APOIOS NECESSÁRIOS. VALE PARA OS ASSUNTOS PESSOAIS, ASSIM COMO OS PROFISSIONAIS. NO MAGAZINE LUIZA, IMPERA A VISÃO: INDIQUE AOS FUNCIONÁRIOS AONDE DEVEM CHEGAR, MAS DEIXE QUE DECIDAM COMO CHEGAR LÁ.

Ricardo Carvalho nunca tinha ouvido falar do Magazine Luiza. Jornalista, tinha aberto sua empresa de assessoria de imprensa em 1992, em São Paulo. Por circunstâncias de família, teve de se mudar para Ribeirão Preto. Procurava clientes na região onde, à época, o serviço e o conceito de assessoria de imprensa ainda eram pouco compreendidos.

Naquele sábado de manhã, 8 de janeiro de 1994, ele caminhava pelo centro de Ribeirão quando uma fila gigantesca chamou sua atenção. Chegou mais perto. Foi a primeira vez que registrou o nome: Magazine Luiza. Era também a primeira vez que a loja promovia sua "Liquidação Fantástica".

"Eu olhei aquilo e falei: 'nossa, que loucura é essa?'. Pensei: deixa eu descobrir de onde é essa rede, para oferecer assessoria de imprensa."

Impressionado a valer com o que viu, já na segunda-feira procurou Luiza para apresentar seu trabalho. Seria o começo de uma aliança profissional que, mais tarde, iria evoluir para parceria pessoal. Depois de vinte anos como assessor do Magazine, desde 2016 tornou-se assessor pessoal de Luiza Helena. Vocês podem imaginar o tanto que Ricardo trabalha, assessor de imprensa da espoleta mais comunicativa e importante do Brasil.

A Liquidação Fantástica iria ganhar as páginas de jornais por seu ineditismo e ousadia; faria do Magazine uma empresa midiática. A originalidade começava pelo horário em que as portas se abriam para a colossal queima de estoque, às 5 horas da manhã.

"Os meus colegas do Magazine acharam a ideia um absurdo. Diziam que era impossível, não ia dar certo. Dona Luiza, que morava colada à loja, também duvidou", diz Bhosco Cordeiro, um dos criadores da campanha e diretor comercial do Magazine. Ele se lembra do diálogo de Luiza Helena com tia Luiza:

"A ideia é a seguinte: nós vamos abrir às 5 horas da manhã."

"Você está louca? Quem é que vai a essa hora comprar alguma coisa?", perguntou tia Luiza. "Como você vai fazer isso?"

Tia Luiza só se convenceu quando acordou com barulho de gente chegando às 2, 3 horas da manhã, viu a fila se formando...

A superpromoção virou tradição, até hoje se realiza, a cada janeiro, em todas as lojas do Magazine no país. Aquela primeira Liquidação Fantástica se deu no último verão da inflação descontrolada. Não por acaso. Como todos os varejistas, numa economia deformada pela inflação, o Magazine Luiza trabalhava com largos estoques, uma maneira de se proteger da depreciação diuturna da moeda. Bhosco explica:

"Nós tínhamos nada menos que uns 300 milhões em estoque dentro das lojas. Estoque de loja, quebrado, arranhado... O que eu pensei com Luiza e propus em novembro foi o seguinte... Tínhamos mais ou menos 45 lojas na época. Todo mês de janeiro, isso havia vinte e sete anos, nós abríamos com a loja inteirinha só com tudo novinho. O que fazer? Vamos começar a negociar com os fornecedores uma reposição de mostruário. Porque mostruário você negocia com 80% de desconto, o fornecedor dá 100%. Na época, usava-se muito consignado. Nós montamos e lançamos essa campanha. Ela gostou."

Mas por que a madrugada? Ora, para criar um fato.

Luiza Helena começou: "Vamos fazer o seguinte, vamos soltar *teasers*". *Teaser* ninguém conhecia na época. "Lançamos um *teaser* avisando que a maior campanha de varejo de todos os tempos vai ser neste sábado. Montamos na quarta e na sexta a gente faz a revelação."

Foi um estouro, não ficou nada nas prateleiras.

"Qual era o sonho da dona de casa na época? Por incrível que pareça, panela de pressão. Eu comprei cem mil panelas de pressão, achando que ia dar, não deu. Quando soltamos a campanha na sexta-feira, às 6 horas da tarde começou a fila na porta da loja. Porque uma panela de pressão estava em oferta por 4,90 reais, a preço de hoje. (Em 2021, uma panela de pressão custava de 90 a 400 reais.) Um guarda-roupas, que hoje custaria 500 reais, colocamos por 190 reais. Além de botarmos tudo o que havia nas lojas com preço abaixo do custo. Demos um prejuízo de 15 a 20%. Mas como o fornecedor ia repor, isso seria compensado depois e eu tinha até o final de 1994 para recuperar essa margem", conta Luiza Helena.

À concorrência, embasbacada, só restou aplaudir. E imitar.

UM NEGÓCIO PARA CHAMAR DE SEU

Renê tem 51 anos, vinte e cinco de Magalu, entrou em 1996.

"O sujeito, pra trabalhar aqui e crescer, precisa ter atitude de dono." Segundo ele, isso inclui zelar por toda a loja, não ficar restrito a suas funções. Ele gosta de verificar se os artigos em exposição estão bem arrumados, se tudo está impecável. Consta que, mais de uma vez, já limpou ele mesmo o banheiro que encontrou sujo.

"O cara no Magazine tem que bater metas, tem que vender e chamar para si a responsabilidade de cuidar do cliente, do momento da compra até a entrega, tendo sempre uma visão 360° do negócio."

Quando Lucas, o filho de Renê, nasceu com sérios problemas ortopédicos, que requeriam fisioterapia durante a infância, o Magazine deu toda cobertura necessária para o tratamento. Hoje, Lucas é um homem cheio de saúde, trabalha na contabilidade da empresa.

Renê se gaba do Magalu, cita benefícios como bolsas de estudos, cursos, e a participação nos lucros. Diz que os vendedores são formados como empreendedores. Quando lhe perguntaram: "Então, por que você não sai e monta o seu próprio negócio?". Renê abriu os braços, mostrando a amplidão da loja, olhou para cima, encarou o interlocutor, fechou os braços num abraço amplo, e disse: "Eu já tenho!".

CAPÍTULO 19:
RITOS E RECLAMAÇÕES

"As coisas que a gente faz sob as ordens do coração
São páginas vivas eternas que não se apagam jamais
O prazer de fazer é tão grande, que o medo de errar se esvanece
E a cada conquista se cresce um pouco mais
Dividindo alegrias, conquistando novas fronteiras
Nossa casa, o trabalho, um só mundo, um só lugar
Porque pensamos assim, porque agimos assim
ML quer dizer minha luta e também meu lar
Amanhã quero estar no assumir de novas gerações
Fruto da minha semente, o passado, o presente em novos corações
Amanhã quero estar no assumir de novas gerações"

Hino do Magalu, de Gervásio Mattos

Quem vê pela primeira vez estranha. Parece coisa de oriental, sabe? Todos os funcionários perfilados, cantando hinos, o nacional e o da loja, aquele astral de palestra motivacional. Mas essa é a ideia, é para motivar mesmo. Desde 1991, é sagrado – todas as manhãs de segunda-feira, para abrir a semana no pique. Participam todos os 45 mil funcionários em cerca de 1.400 lojas, dois centros de distribuição, centenas de *hubs* logísticos e oito escritórios, em todo o território nacional. Os próprios funcionários tocam a cerimônia, Luiza Helena não falta a uma. Depois de cantarem os hinos, diante da bandeira do Brasil, reza-se um Pai Nosso. Segundo Luiza, só porque é mais fácil, todo mundo conhece, mas o espírito é ecumênico.

"No começo, chamavam de 'Rito de Comunhão', hoje chamam só de 'Rito'. Quando me falaram sobre o ritual, estranhei. De cara, achei algo parecido com igreja. Assisti pela primeira vez, vi que cantavam os hinos e engatavam numa reunião comercial, até aí achei tudo normal. Estranhei só no final, quando rezaram o Pai Nosso. No fim das contas, o que fica é um alinhamento na forma de trabalhar", lembra Ricardo Carvalho, que na época trabalhava de modo terceirizado para a Magalu, prestando assessoria de imprensa.

"Como eu não era funcionário, não me sentia obrigado a participar. Até que Luiza Helena me ligou perguntando por que eu não estava no Rito. Nessa época, eu morava em Ribeirão e a estrada para Franca era bem ruim, o deslocamento durava mais de uma hora e meia. Mas depois dessa chamada dela, passei a ir toda segunda-feira. Acordava cedinho! Preciso reconhecer que à medida que comecei a frequentar o Rito, entendi seu significado. No fundo, através dessa cerimônia, ela quer criar comprometimento, comunicação, agilidade…

e amarra tudo isso com essa mistura de patriotismo com o espiritual."

Com a expansão da rede, houve pequenas adaptações regionais no Rito. Por exemplo, no sempre nativista Rio Grande do Sul, incluiu-se o hino do estado. Bah!

■ ■ ■

Além de não perder um Rito de Comunhão, Luiza Helena permanece fiel à TV Luiza, criada em 2005. Sempre que possível ou necessário, ela entra ao vivo às quintas-feiras, em rede nacional, para todas as lojas, centros e escritórios do Magalu. Fala do que está sendo feito naquela semana, expõe planos futuros, atualiza campanhas e resultados, enfim, dá aquele show de comunicação espontânea e autêntica. Luiza é adorada por seus funcionários, que prefere chamar de "colaboradores". Quando aparece na telinha, parece falar com um de cada vez, naquela intensidade de costume. Nessa hora, a porção "tia" funciona bem, parece conversa de cafezinho...

A TV Luiza entrou no ar junto à Rádio Luiza e ao Portal Luiza. Telma Rodrigues, francana veterana no Magazine – está lá desde 1985 – conta como era nos primórdios da iniciativa: "Nossa TV nasceu em videocassete, íamos a um estúdio gravar, fazíamos cópias, mandávamos as fitas para as lojas. Tinham de rebobinar e devolver as fitas, que eram caras, para que a gente gravasse o programa seguinte. Com a chegada da internet, nossa intranet ajudou muito. Pouco depois veio a TV executiva – a oportunidade de fazer esse alinhamento semanal ao vivo. A gente não gravou mais programa, ficou proibido gravar programa".

Quem sabe faz ao vivo, não é mesmo, Faustão? Luiza Helena, inclusive, recrimina o uso do TP (teleprompter) pela equipe, diz que fica automático, perde naturalidade. Telma explica o desafio: "A TV Luiza tem que ser feita no dia, na hora e com aquela emoção de fazer o programa ao vivo, os erros e acertos. Hoje, é a grande ferramenta de venda da empresa, porque todo alinhamento é feito na quinta de manhã, e o fim de semana de vendas é sempre muito forte. Nessa pandemia, a TV teve um papel fundamental de orientação e esclarecimento, divulgação dos protocolos, de acalmar o grupo, de passar todas as medidas do governo", diz Telma.

■ ■ ■

No dia 16 de setembro de 2021, o Instagram de Luiza Helena estava bombando de mensagens de parabéns e celebração por sua presença na lista das pessoas mais influentes do mundo da revista *Time*, anunciada na véspera. Entre milhares de comentários entusiásticos e triunfais, um me chamou a atenção, desafinava. Era a reclamação de uma cliente do Magalu que não tinha recebido sua compra no dia devido. Eis o post:

Dona Luiza helena trajano comprei um iPhone xr na magalu pela Internet e meu iPhone N chegou desde 02 de setembro de

> *2021 até agora nada de chegar o produto isso é um descaso com qualquer cliente que de vcs não pode acontecer esse tipo de caso ainda mas por ser numa loja da magazine Luiza (sic).*

O nome da cliente é Luciana, ela tem modestos 162 seguidores. Era de se compreender se Luiza passasse batido pela queixa, num dia de tantas emoções e solicitações. Mas minutos depois, Luiza Helena respondia ao comentário: *"@xxxxxxxx peço perdão pelo ocorrido. Por favor, envie no direct o CPF da compra e um telefone para contato. Vamos resolver".*

Todas as redes sociais de Luiza estão repletas de exemplos como esse. Ela continua atendendo aos clientes, responde a todas as reclamações no Instagram, no Facebook, em carta ou e-mail. Os mais próximos a Luiza se preocupam, dizem que ela dá seu e-mail e número de celular para todo mundo. E mais: responde a todo mundo.

Nilva Ferreira da Silva entrou no Magazine Luiza em 1985. Junto a Luiza Helena, ajudou a criar o Serviço de Atendimento ao Consumidor (SAC). De sua primeira função, operadora de caixa da loja Um, passou ao escritório central e, em 1993, a assistente pessoal de Luiza. Dois anos mais tarde, as duas criaram o serviço que mais tarde ganharia o nome de "Luiza Resolve".

"A ideia de Luiza era que os clientes associassem a empresa a uma pessoa, de verdade" conta Nilva. Pediu que pusessem uma foto sua no tabloide de ofertas, com um telefone fácil de identificar para onde pudessem ligar, em caso de problemas. O telefone era direto, Luiza Helena atendia às chamadas. Ela foi a primeira funcionária do SAC, viveu essa experiência, sozinha, como única atendente, por quarenta dias. Os clientes ligavam com uma reclamação e eram direcionados por Luiza Helena de imediato aos responsáveis. Premidos pelo exemplo da chefe, todos mais se apressavam em resolver. "Ela fazia todo o acompanhamento mesmo", conta Nilva. "As ligações não passavam por ninguém, nem por mim, que era assistente dela."

Era um processo de lápis e papel na mão, ainda não havia sistema operacional. Num caderno comum eram anotados os dados do cliente, as reclamações e as tratativas dadas. Depois de quarenta dias, com total conhecimento sobre a nova área, Luiza Helena a delegou a Nilva: "Quero que você deixe tudo o que você faz como secretária e passe a cuidar do cliente pra mim". Quando pediu à chefe um sistema, ouviu: "Nilva, quero calor humano. Quero carinho, respeito e solução para o cliente! Sistema é lá pra frente! Agora não…".

Na prestação de contas diária que Nilva fazia, Luiza repassava as queixas e resoluções. "Ela ligava para o cliente para checar: 'Seu José, estou aqui com a Nilva, que está me dizendo que seu problema foi resolvido. Mas quero saber do senhor… o senhor está satisfeito?'".

Mais de uma vez, Luiza entrou na linha em que Nilva falava com clientes para acompanhar a conversa. E intervir! "Nilva, não fala isso pro cliente! A Nilva não pode falar isso pro senhor!" Nilva não se acanhou:

"Assim ela foi me ensinando. Foi uma universidade, um mestrado, foi tudo na minha vida".

O SAC do Magalu nunca parou, não para de se expandir. Hoje, reúne todos os canais de atendimento – telefônico e digital –, responde ao cliente final, às lojas, às compras no e-commerce, marketplace inclusive, além de manter um canal de televendas. Tudo acompanhado pela área de Inteligência, que faz pesquisas qualitativas e quantitativas sobre o teor dos contatos e das interações em redes sociais.

Difícil cravar um número exato, mas, em média, o Magalu tem 40 milhões de clientes.

CAPÍTULO 20:
TRABALHADORES *VERSUS* SINDICATOS

Ao assumir como CEO – posição que naquele início do 1990 ainda era chamada no Brasil de "superintendência-geral" –, Luiza Helena vinha de décadas de experiência no "chão de loja". Conhecia em detalhes, com intimidade, não só as práticas de venda, como também a psicologia dos vendedores. Sabia de suas ambições e alegrias e também de suas fragilidades.

Um ponto central a afligia na formação dos comerciários: seu bruto desconhecimento dos mecanismos mais básicos do comércio, sobre lucro, perdas e ganhos, sobre o funcionamento da empresa, as variações, riscos e oportunidades da operação de cada dia. Luiza Helena não queria reproduzir distorções históricas e ficar de mandachuva, de titereira a manipular os fios de marionetes contentes. Queria encontrar maneiras de valorizar e responsabilizar seus funcionários e isso implicava desafiá-los, romper com velhas práticas inerciais, superar o *statu quo* das relações trabalhistas.

A resistência ao anúncio de suas intenções modernizantes ganhou um inusitado uníssono de duas estruturas antiquadas: dentro da empresa, a oposição de costume de seu tio Pelegrino, e fora dela, as convicções fósseis dos sindicatos. Para começar, Luiza Helena estendeu a todos os funcionários os bônus e benefícios antes restritos a cargos de direção e criou o Programa de Participação de Resultados (PPR). Em parceria, a partir de dinâmicas internas, direção e empregados estabeleceram novas regras de reconhecimento e mérito para premiações.

Para Luiza Helena, era fundamental que todos na empresa entendessem por que ganhavam o que ganhavam, que tivessem a compreensão dos mecanismos do lucro. Ela achava que a comissão, pura e simples, era injusta com quem a pagava e com quem a recebia. Para isso, estabeleceu um sistema que logo ganhou o título de "ganha-ganha", pois todos, do topo à base da pirâmide da firma, se beneficiariam quando houvesse lucro.

Em linhas gerais, se uma loja tivesse lucro, um percentual desse lucro passava a ser destinado aos funcionários. E os próprios funcionários fariam o rateio, decidindo quem faria por merecer uma fatia maior ou menor do bolo. Até então, quando fechava uma venda, fosse qual fosse a margem de lucro, o vendedor tinha garantida sua comissão. A superintendente-geral julgava o sistema injusto e paternalista.

"Se na empresa tá valendo o ganha-ganha, eu também tenho que ganhar. Vou mudar a comissão de venda individual para a comissão global", anunciou Luiza Helena. Era inovação demais para os antigos sindicalistas, fazer os trabalhadores pensarem como capitalistas! Luiza comprou a briga.

"Eu resolvi encarar os sindicatos, resolvi mudar a comissão do vendedor e quando você muda a comissão do vendedor, de acordo com a lei trabalhista, você tem que mandar as pessoas embora, porque se não mandar, não pode mudar o salário."

O que Luiza propunha era mais que uma mudança de regras de remuneração a curto prazo, o lance era disruptivo, mexia com a cultura conformada – o conformismo sempre foi o inimigo número um de Luiza Helena.

"O que acontecia: vendedor não tinha nenhum espírito de empreendedor. Como funcionava com a comissão? Eu vendia essa garrafa por 10 reais, ganhava 1 real, e não queria saber se o cliente pagava ou não pagava, se estava dando lucro para a empresa ou não. Não se estava educando, não se estava aumentando o nível de consciência do

---

PEQUENO GLOSSÁRIO DE LUIZA HELENA

TEM QUE IR NA CAUSA DA CAUSA DA CAUSA.

- **1:** NÃO RECLAME, TOME PROVIDÊNCIAS. NÃO GOSTOU DO QUE ESTÁ FEITO, FAÇA DIFERENTE.
- **2:** VÁ ALÉM DO SENSO COMUM, MERGULHE, INVESTIGUE, PERGUNTE.
- **POR EXTENSÃO:** NÃO ENDOSSAR NEM DESCARTAR CRENÇAS E CONVICÇÕES ALHEIAS, SEJA MACHISMO, RACISMO, "ISMOS" EM GERAL, OU BIRRA INFANTIL. ATUAR, SEM JUÍZO DE VALOR, PARA DESTRINCHAR IMPASSES.
- **SINÔNIMOS:** CONFRONTO, PROPOSIÇÃO, REFLEXÃO.
- **ANTÔNIMOS:** OMISSÃO, ACOCHAMBRAÇÃO, DEMAGOGIA.
- **ADVERTÊNCIA:** REQUER TOLERÂNCIA E ESPÍRITO DEMOCRÁTICO.

vendedor. Eu queria que ele ganhasse sobre o lucro, que ganhasse uma porcentagem pela venda. Mas, para fazer isso, eu tinha que mudar, mandar gente embora."

Estratégica, Luiza fez primeiro como um comandante em guerra, que antes de bombardear uma cidade, joga sobre ela panfletos avisando do bombardeio e seus motivos. "Mandei uma carta para as lojas: 'A partir de primeiro de junho, eu vou mudar a comissão'. Mas eu sabia que não ia mudar, eu estava querendo testar a reação do sindicato e dos funcionários. Não teve dúvida, o sindicato convocou nosso diretor de RH para uma reunião. Eu fui junto, e falei: 'Vocês pregam o socialismo, pregam igualdade. É o que estou propondo'".

Os ânimos esquentaram. Em Rio Preto, Luiza Helena se reuniu com os líderes sindicais. Eles estavam inconformados, atacavam o Magazine nos jornais da região. Luiza os enfrentou. Não chegaram a um acordo, mas ela não desistiu: "Ora, o vendedor é movido a desafio, eu não podia tirar o desafio dele, tinha que aumentar o nível de consciência para ele aprender a fazer as coisas. Disse para os sindicalistas: 'Está bom então, vou passar tudo para o atendente. Olha, mas o *como* eu não vou mudar, o *quê* eu não vou mudar, vai ser assim. Eu não vou mandar ninguém embora, mas o *como* eu vou manter. Chamei um vendedor de cada loja para ver se assim estava bom, 4% sobre a venda. Cada loja elegeu um vendedor para mandar para Franca, para estudarmos o quanto ia mudar – o porquê e o quanto. Junto a isso, passamos a dar cursos de matemática financeira, cobertura para que pudessem aprender a mexer com mais coisas".

Luiza Helena tinha o apoio entusiasmado dos trabalhadores pelo novo esquema. Determinada a levar o projeto adiante, ela reuniu um timaço de advogados trabalhistas de Franca. Promoveu assembleias internas, em que os funcionários seriam consultados, em procedimento formal, para dizer se concordavam ou não com as mudanças. Mas, mesmo que o novo sistema fosse aprovado pelos trabalhadores, ela ainda teria de esperar dois anos para que valesse, e durante esse período poderia sofrer processos trabalhistas. A aprovação enfática da maioria esmagadora dos funcionários deu ainda mais confiança a Luiza – a partir dali, não recuaria. Vencido, o sindicato não se conformava. Luiza tinha encontrado uma brecha, estava livre para tocar seu projeto sem obstruções sindicais.

Além disso, Luiza Helena enfrentou um velho vício, a máquina de processos trabalhistas movida pelas regras engessadas das jornadas de serviço dos vendedores. Para completar uma venda, eles não se importavam em fazer hora extra. Mas, quando saíam da empresa, era muito comum entrarem com ações na justiça. Luiza agiu e mais uma vez venceu, conseguiu adequar a legislação trabalhista.

A consequência mais irônica de todo esse embate entre a "dama de ferro" de Franca e os sindicatos foi a criação de estruturas quase sindicais, assembleias, dentro do próprio Magazine. Até hoje, cada loja tem um conselho de representantes com poder de governança e decisão. (Permitam-me o chiste, mas é quase como se fosse a "sovietização" da rede de lojas! *Soviet*, em russo, quer dizer "conselho").

Luiza Helena, na moral da história: "Daí nasceu o Conselho de Colaboradores, que existe desde então. Cada loja, cada unidade nossa tem um conselho que é eleito pelo grupo daqueles que não têm cargo de comando. A cada dois anos são eleitos o presidente do conselho e o vice. O conselho é responsável pela cultura da loja, pelo clima da loja e pela democracia. O gerente, para mandar alguém embora, tem que ter o parecer do conselho. Para aceitar uma pessoa, tem que ter o parecer do conselho. No começo dá mais trabalho, mas hoje mesmo o escritório tem um conselho, que é eleito por quem não tem nenhum cargo. Quem elege o conselho é o grupo".

Os conselhos guardam a alma e aplicam na prática os valores do Magazine. Desde 1995, são formados só por funcionários, em gestão participativa. Além de acompanhar processos de admissões e demissões, são os interlocutores frente às lideranças. É um serviço voluntário, que democratiza o ambiente de trabalho, uma obsessão de Luiza: "Eu adoro democracia. Eu nasci com um espírito democrático, eu detesto a escravidão".

A maioria dos funcionários que fizeram carreira no Magazine participou do Conselho de Colaboradores. Para o atual CEO, Frederico Trajano, os conselhos são o esteio da empresa: "Temos um esquema de representatividade dos funcionários que não são líderes.

É uma maneira muito poderosa de se entender o que está acontecendo na base, de entender quais são os pontos, questões que estão afligindo os funcionários, de ter um fluxo de informação da base para o topo, representativo e organizado. É como se fosse um sindicato dentro da própria companhia".

A cultura do "ganha-ganha" tornou bem comuns cenas como a de um faxineiro abordando o gerente de uma loja, perguntando: "E aí, como estão as vendas hoje, estamos tendo lucro?".

CAPÍTULO 21:
DESAFIO REAL

O Plano Real, em 1994, desconcertou as grandes redes de varejo. Como vimos ilustrado pela história da primeira Liquidação Fantástica, as varejistas, tal qual toda a economia brasileira, estavam viciadas em inflação, tinham um modo de operação que só parecia normal porque a anormalidade passara a ser a norma. Trabalhava-se com grandes estoques, o dispêndio na aquisição e armazenagem de vastas cargas de produtos se justificava – com o dinheiro se desvalorizando minuto a minuto, a posse de produtos era garantia de alguma estabilidade.

Numa economia com a moeda forte e estável, essa lógica virava de cabeça para baixo. A venda a crédito chegava agora ao alcance da massa de consumidores, que podiam, pela primeira vez em muito tempo, confiar que um dinheiro ainda valeria um dinheiro dali a um mês. Já o endividamento das empresas para a formação de vastos estoques passava a ser um péssimo negócio.

Várias potências do varejo passaram a dar sinais de fraqueza. Luiza Helena, em seu ainda coadjuvante Magazine, acompanhava os tremores a sacudir as protagonistas do mercado. O alerta soou em 1995, quando uma poderosa concorrente direta, a Casa Centro, faliu. Como costuma acontecer, a quebra da Centro insuflou os boatos de que outras empresas do ramo seguiriam o mesmo caminho. Contra todas as avaliações de certo senso comum, em vez de esconder o estado de saúde de sua empresa, Luiza Helena fez o contrário: contratou uma auditoria para devassar suas contas e analisar seu balanço financeiro.

"Quando resolvi auditar o balanço em 1995, nenhum grande concorrente auditava, nem Casas Bahia, só a Arapuã. Pensei: se eu, do interior, não auditar um balanço, não vou ter crédito para crescer, então vou pagar o preço de auditar. Naquela época, as coisas nasciam assim, tudo meio intuitivo com minha capacidade fuçativa. Imagina eu lá no interior faturando ainda 500 milhões de reais, auditar um balanço, sem ter capital de giro. Eu me lembro que quando me entregaram o resultado, falei: 'Puxa, a gente pagou tão caro para eles falarem mal de nós!'."

À época alguns acharam que Luiza Helena tinha endoidecido, mas ela percebera a gravidade do momento e que o único caminho era demonstrar seriedade. Luiza Helena chamou quatro grandes fornecedores. Um deles tornou-se um avalista informal espontâneo da confiabilidade do Magazine.

"Mostramos nosso fluxo de caixa para quatro CEOs, entre eles os da Brastemp e da Philips, que representavam 70% da nossa receita. Homenageio sempre o João

Carlos Brega, hoje presidente da Whirlpool, que estava na Brastemp e foi um dos que eu chamei e abri o jogo: 'Olha, por favor, vem aqui. Vamos mostrar um balanço ruim porque auditamos. Mas o fluxo de caixa está aqui'. O Brega saiu dali dizendo, em todos os meios: 'Olha, a Luiza, lá no interior, está fazendo algo que ninguém fez, ela está auditando a empresa'."

Desde que conheceu Luiza Helena e seu modelo de gestão, em 1998, João Carlos Brega virou testemunha de sua credibilidade: "Quando, na minha empresa, perguntavam sobre a seriedade do Magazine, eu costumava responder que seria capaz de emprestar o meu próprio dinheiro a ele".

Os fatos recompensaram a transparência corajosa de Luiza Helena. Nos anos seguintes, a crise asiática terminou de liquidar com gigantes do varejo como Mesbla, Lojas Brasileiras, Mappin, Sears e Arapuã.

APRENDENDO COM OS ERROS DOS OUTROS

Hoje pode soar irônico o fato de que, durante a segunda metade da década de 1990, o filho de Luiza Helena e seu sucessor como CEO, Frederico Trajano, não estava no Magazine, trabalhava no mercado financeiro. Fazendo o quê? Onde? No Deutsche Bank, em São Paulo, como analista, ora vejam, analista de renda variável de consumo e varejo.

Em 2014, ele declarou à revista Época Negócios: *"Acompanhei a derrocada da Arapuã, da Mesbla, do Mappin e de toda essa turma que não soube virar a chave depois do fim do ciclo inflacionário. Vi coisas muito erradas sendo feitas em empresas que eram sólidas, organizadas e bem dirigidas, como a Arapuã".*

Além de ter assistido à derrocada de poderosas corporações – de um ponto de vista que lhe permitia acesso a detalhes críticos –, nessa época, com pouco mais de 20 anos, Fred se transferiu para um fundo de investimentos. Ali, teve a melhor escola que poderia sonhar para o universo de administração e negócios que iria encarar no futuro. Ainda em seu depoimento para Cristiane Barbieri, da Época Negócios, *Fred rememora: "Eu analisava dezenas de planos de negócios de startups de internet e percebi que a rede iria revolucionar o varejo do mesmo modo que aconteceu quando a moeda acabou com o escambo".*

Foi assim que, com 25 anos, a ascensão de Frederico Trajano ao comando da operação digital do Magazine Luiza pouco teve a ver com seu sobrenome. Reconhecido como um dos mais preparados profissionais do mercado, ele estava pronto.

"CHEQUE MÃE"

Enquanto a realidade do varejo se refigurava, desfigurando velhas hierarquias e crenças, a ousadia de Luiza Helena ganhava mais reconhecimento. Em 1998, o Magazine Luiza entra para a rigorosa lista das "Melhores Empresas para se Trabalhar no Brasil" (GPTW – Great Place To Work). De lá para cá, vem renovando esse título a cada ano. Luiza começava a mostrar evidências concretas para sua tese de que capital humano é tão importante quanto capital financeiro. De muitas ações realizadas, vale destacar uma, por seu simbolismo: a criação, no ano em que se tornou CEO, 1991, do auxílio-creche, o popular "cheque mãe".

Criada em família de liderança feminina, Luiza Helena aprendeu cedo que, para ser independente, a mulher precisa ter independência financeira. Tendo assumido o Magazine com três filhos pequenos, ainda que tivesse uma rede de apoio, talvez por isso mesmo, sabia da barra de conciliar trabalho e maternidade. Filhos pequenos já tinham sido, por muito tempo, a principal razão para abandono de trabalho por funcionárias do Magazine.

O "cheque mãe" é pago a funcionárias mães e casais homoafetivos com filhos de até 10 anos e 11 meses, e a pais com filhos com necessidades especiais. Durante a pandemia, o benefício teve o valor dobrado.

RITO DE COMUNHÃO NO MAGAZINE,
TODA SEGUNDA-FEIRA DESDE 1991.

CAPÍTULO 22:
UMA VISIONÁRIA PRAGMÁTICA: TEORIA

"Seja realista: exija o impossível."
Palavra de ordem dos estudantes franceses, em maio de 1968.

Não por acaso os testes de QI se valem deles, nem é outra a razão da alta conta em que temos a inteligência dos jogadores de xadrez. Nossa capacidade de reconhecer *padrões* costuma ser a medida mais clara para aferir inteligência. Grandes enxadristas podem enlouquecer, com frequência enlouquecem, quando perdem o controle dessa faculdade e passam a identificar, ou a estabelecer, a partir de sinais arbitrários, padrões no destabuleiro do mundo.

Preso pela ditadura em 1968, Caetano Veloso narra, em seu livro *Verdade tropical*, como foi capaz de predizer, com exatidão, a data e a hora de sua soltura a partir de músicas que tocavam no rádio dos carcereiros e da aparição de baratas, tudo encaixado num sistema mágico de superstições – ou melhor, tudo formando padrões. Como o poeta anteviu sua libertação e os enxadristas as próximas jogadas, pode-se, sim, ver e prever o futuro, extraindo-se padrões da aparência estilhaçada da realidade num padrão. Não se trata de mágica, isso é inteligência.

E mais, mesmo as inteligências mais ordinárias têm a sobrevivência assegurada pela capacidade de rápida identificação de padrões. Não precisamos de palavras ou gestos para, em microssegundos, ler no rosto de alguém que se aproxima, conhecido ou estranho, se é amistoso ou perigoso. Padrões explícitos na expressão fisionômica da gente comunicam no tempo exato de um piscar de olhos.

Inteligências superiores – e aí entendamos como inteligência uma soma de sensibilidades e raciocínios – conseguem estabelecer padrões a partir de fatos e eventos que, para a maioria de nós, são desconexos e sem sentido. É disso que Luiza Helena está falando quando diz que vive no futuro. Vive mesmo, não é força de expressão ou licença poética. Onde vemos um país em pedaços, ela vê as peças de um quebra-cabeças. Complexo, muito complexo, complexíssimo; mas, à luz de sua inteligência, solúvel. Esta também é a explicação de sua filosofia "caórdica". A ordem é um padrão petrificado. O caos tem a qualidade do movimento, nele, novos e imprevistos padrões se sucedem e se oferecem à nossa interpretação.

■ ■ ■

Até que nem tão esotérico assim, tá? Entrar na arena de disputas empresariais do mercado é jogar um jogo todo fundamentado em previsões e possibilidades. Um vasto setor do "cassino" financeiro tem dedicação exclusiva a "futuros", no plural – e tá certo assim, o futuro só se singulariza quando vira presente.

Na metáfora imemorial da guerra, o pensamento estratégico trata de previsões, contraprevisões, possíveis ou prováveis movimentos de um ponto a outro, de um momento a outro. Na sucessão de batalhas que compõem a guerra pela sobrevivência na selva capitalista, há exércitos provisórios, e mesmo bandeiras descartáveis. O capital não é fiel a seus instrumentos. Mais ou menos como os organismos vivos – nós, humanos, entre eles –, somos apenas veículos para a perpetuação dos genes, empresas podem servir apenas à natureza compulsória do capital de se multiplicar. Empreendimentos morrem, o dinheiro apenas mudará de mãos, ou garras, no caso.

Há uma diferença nas empresas originadas de famílias, pelo menos naquelas que mantêm seus propósitos vivos e atualizados, não como meros slogans empalhados. Estas encaram, por vocação, a longa guerra da permanência acima das necessárias batalhas da hora. Pensamento de longo prazo é coisa sofisticada e antinatural, nosso arcabouço genético se formou para dar respostas imediatas, reagir. Exemplo quase caricatural da reatividade humana é o mercado financeiro.

O escritor Ivan Santanna, ex-operador, especulador aposentado, afirma que só duas emoções movem o mercado: ganância e medo, a vontade de ganhar sempre mais e a sempre presente ameaça de perder. Luiza Helena discorda: "Eu não acho que todo mundo é movido assim não, tem um estereótipo muito forte aí. O que falta realmente é aumentar o nível de consciência de que você é responsável pelo seu país. E hoje, eu vejo muitos amigos meus que abriram mão de seus propósitos e estão muito ricos, mas muito infelizes. O Oscar Motomura explica que nosso propósito funciona como se fosse um fio, que você está lá dentro da vida profissional e vai esticando e esticando, de repente, ele estoura. Aí quando você é mandado embora, ou quando você não tem mais aquele cargo... tem pessoa que você não aguenta ficar cinco minutos junto, não tem assunto".

Talvez por isso, Luiza Helena, a megaempresária, requisitada líder da sociedade civil, figura onipresente na mídia, cortejada pelos poderosos, empenhe tanto esforço para não desfazer os laços com sua Franca e as amigas de sempre.

"Não tive irmãos, então saí buscando as pessoas para me fazerem companhia." Luiza é das pessoas que não passam pelos outros a piloto automático. Afeta e se deixa afetar por onde anda – afetou quem por ela passou e foi afetada por tudo e todos que encontrou. Filha única de duas mães, amada de maneira múltipla pelas mulheres da família, ganhou a autoconfiança daqueles que têm a certeza de ser amados; tem a "autoestima em dia", como gosta de repetir. Cultiva novas e velhas amizades, é fiel companheira de mulheres. Décadas atrás, ela já dizia o que hoje virou chavão do feminismo: "Não acreditem que mulher não é amiga de mulher, isso é lorota que criaram para nos dividir".

Das melhores amigas da época de escola, com quem dividia as aulas, as lições e o tempo livre, preserva a confiança e a disposição para estarem juntas. Saudosismo, não. Quando Luiza Helena diz: "sou inacabada, todo dia eu começo de novo, não sou boa para ficar lembrando das coisas. Não sei contar história antiga, porque já estou lá na frente", não está falando por metáforas, é assim mesmo que ela funciona. Quando volta a Franca nos fins de semana, ou nos feriados e festas de fim de ano, Luiza sempre procura Leda e Maria Helena. O trio não perde sequer um segundo falando de tempos idos. "Ela chega na cidade e já liga pra gente, inventando alguma coisa pra fazer", contam. "Ela trabalha muito, mas é tudo igual ao que era antes, com as três sempre juntas."

Ao manter vitais as ligações com suas origens, o faz por decisão e necessidade pessoais, mas isso repercute com força na empresa que hoje seu filho comanda. Luiza ainda é a alma do Magazine, como Franca ainda guarda a alma de Luiza.

"A alma do Magalu ainda está em Franca. Frederico vai lá, Luiza Helena vai lá direto, leva a tia Luiza para passear na represa do rancho. O tio de Luiza Helena, seu Onofre, está lá. Quando nós nos mudamos para São Paulo, eu falei que a sede social ia continuar na loja Um em Franca", diz Marcelo Silva. Hoje no conselho da empresa, ex-CEO do Magazine, responsável pelo processo de transição da liderança de Luiza Helena para seu filho Frederico, Marcelo é um estudioso de empresas familiares, escreveu um livro sobre o assunto:

"A perpetuidade de uma empresa é baseada nos seus valores, se esses valores forem sendo dizimados ou danificados ao longo da história das gerações, ela não vai se perpetuar. No Magazine, Luiza perpetuou os valores da tia e o filho também. Se um dia os Trajanos venderem o Magazine Luiza para a Amazon ou para o Best Buy, acabou. No dia em que os Trajanos tirarem o CPF da sociedade, vai acabar. Porque não existe verdade mais verdadeira: é uma empresa feita por pessoas. A Luiza Helena continua atendendo aos clientes, responde, pessoalmente, todas as reclamações, no Instagram, no Facebook, em qualquer coisa, carta, e-mail. Ela dá o e-mail e o celular dela para todo mundo. Eu resumiria a Luiza Helena numa palavra: genuína. Absolutamente genuína."

1. MAGAZINE LUIZA, LOJA UM.
2. PRIMEIRA LOJA ELETRÔNICA DA REDE, BAIRRO LEPORACE, FRANCA.
3. COM CHIEKO AOKI.
4. FABRÍCIO (À ESQ.) E FRED, AO REDOR DE LUIZA, INAUGURAÇÃO DA MILÉSIMA LOJA.

5. DISCURSO DE FRED, 60 ANOS DO MAGAZINE.

6. LUIZA COM FAMILIARES E SÓCIOS DO MAGAZINE, ELEITA UMA DAS MELHORES EMPRESAS PARA SE TRABALHAR DESDE 2003.

7. COMEMORAÇÃO DOS CINCO ANOS DO GRUPO MULHERES DO BRASIL.

8. TIA LUIZA EM SEU PRINCIPAL DOMÍNIO, A LOJA UM.

CAPÍTULO 23:
UMA EMPRESÁRIA AGRESSIVA: PRÁTICA

> **PEQUENO GLOSSÁRIO DE LUIZA HELENA**
>
> <u>SOU NOVIDADEIRA E FUÇATIVA!</u>
>
> - **1:** INVESTIGAR TODO E QUALQUER ASSUNTO, EM GERAL O MAIS RECENTE, PRÓXIMO OU DISTANTE A SUAS ATIVIDADES, DE ACORDO COM NECESSIDADES ESPECÍFICAS OU NÃO.
> - **2:** "FOGO NO RABO".
> - **POR EXTENSÃO:** FACILIDADE DE FAZER AS PERGUNTAS CERTAS PROPORCIONAL À RAPIDEZ DE APRENDER COM AS RESPOSTAS.
> - **SINÔNIMOS:** CURIOSIDADE, INCONFORMISMO, IRREVERÊNCIA.
> - **ANTÔNIMOS:** BURRICE, SABICHONICE.
> - **ADVERTÊNCIA:** NÃO QUER DIZER QUE VAI SE SAIR POR AÍ QUERENDO TUDO EXPLICAR, DEITANDO REGRAS, RECITANDO FÓRMULAS. QUEM QUISER QUE FUCE POR SUA PRÓPRIA CONTA.

==Fuçativa, novidadeira==, arretada, inquisitiva, ligada em 220 volts.

Dê o nome que quiser ao entusiasmo de Luiza Helena, é espontânea a curiosidade de criança com que vai atrás do que faz brilhar seus olhos. Como gestora, antecipa e abraça novas práticas, não hesita em experimentar, arrisca. O que não funciona, busca corrigir, erra, reconhece e não persiste no erro, avança. Teve desprendimento e ousadia quando promoveu a profissionalização do negócio de família, uma dinâmica de administração delicada, em que números e planilhas não explicam nem atendem a subjetividades e suscetibilidades. Cumpriu com sucesso não só a profissionalização como a transição geracional na empresa. O conselho do Magazine pondera, sem privilégio ou discriminação, a base histórica e familiar da empresa e os profissionais vindos do mercado. É evidente que Luiza Helena busca o equilíbrio entre o que há de mais moderno em gestão empresarial e a preservação dos valores e propósitos germinados na lojinha de Franca.

Porém, entre a tradição que ainda faz sentido e a inovação bem-vinda, um terceiro vetor caracteriza o estilo Luiza Helena de gerir: o olho no olho. Instituições, entidades e corporações não conquistam a confiança dela por supostos poder e prestígio. Ela quer, busca e propõe parcerias, mas essas alianças empresariais ou institucionais precisam ter... uma face humana. Luiza Helena quer saber com quem está falando, personaliza as relações negociais e associativas.

Para fins de ilustração, vamos resgatar uma expressão dos tempos, não remotos, em que só barbados tocavam negócios. Dizia-se que a garantia de um acordo honrado não se firmava em contratos de papel, deveriam valer pelo "fio do bigode". A versão etimológica mais corrente para o termo aposta numa corruptela da expressão alemã para "em Deus", *bei Gott*, daí o bigode envolvido.

Luiza Helena nunca precisou recorrer a pelos faciais ou forças divinas, compromete e compromete-se com o humano. Conhecida pela franqueza e intensidade nas relações pessoais, ela busca um território comum com seus interlocutores, um denominador comum mínimo que permita algum nível de identificação mútua.

A parceria com o Unibanco, por exemplo, iniciada em 1993, tem a cara do banqueiro Pedro Moreira Salles, que explica: "As relações da Luiza passam necessariamente por uma questão de afeto, entendimento que não passa pela relação contratual. Ela olha tudo muito pessoalmente, como afeta a ela. Vez ou outra, isso pode gerar um desgaste desnecessário, mas também é um pouco de sua força, a capacidade que ela tem de interpretar atos e atitudes e confiar, dar peso ou não dar peso. Ela é muito intuitiva, 100% intuitiva, e funciona nessa base; ela é uma comunicadora. Se você corta a comunicação e fica tentando fazer uma relação tecnocrática, contratual, não é a maneira como ela funciona".

Luiza e Pedro são amigos, ele acreditou no Magazine quando ainda era uma empresa regional. "Pensamos na época em desenvolver parcerias com varejistas para oferecer cartão de crédito e estabelecer uma relação comercial com o cliente. O Magazine Luiza era um varejista médio, com sede em Franca e presença sobretudo no interior de São Paulo. Para o varejista era uma maneira de financiar as compras, dando crédito para a massa, o que era importante. Pra gente, uma operação de financiamento, o nosso negócio, e uma maneira de ampliar a base de clientes. Conseguimos fazer os dois."

Várias vezes, em vez de resolver questões pelo telefone, Pedro fez questão de ir a Franca para conversar cara a cara com a parceira. Essa pessoalidade dava confiança a Luiza. Não por acaso. Depois de tanto ouvir Luiza Helena falar da excelência do atendimento em suas lojas, Pedro deixou o título de banqueiro em casa e foi fazer compras, como mero consumidor.

"Resolvi testar. Peguei o carro, fui até Matão e entrei pela primeira vez no Magazine. Comprei três coisas. Quem me atendeu não tinha a menor ideia de quem eu era e fui muito bem atendido, o cara fez a venda bem-feita. Quando saí de lá, liguei para Luiza, fiz um relato e elogiei o atendimento. Nem dei o nome do vendedor, mas ela descobriu, falou com o sujeito, chamou-o a Franca, ele ganhou um prêmio. Isso é Luiza, ao receber o relato de alguém em que ela confia. E, olha, isso de cliente ser bem atendido, hoje virou moda, mas naquela época..."

Assim era a relação entre Unibanco e Magazine Luiza, quer dizer, entre Pedro e Luiza Helena. Em qualquer eventualidade, ela sabia com quem falar — falar, não fazer ofícios. "É uma relação que tem vinte anos. Luiza foi a interlocução principal, ela tocava o Magazine. Na fase de conversas e negociação, estive em Franca duas vezes. Fui levado não só para visitar a sede como a chácara, grandes almoços no meio. Luiza hoje é uma figura nacional, mas em 2001, era uma varejista regional. Tínhamos experiências de vida diferentes, éramos criaturas diferentes. Houve uma grande empatia, eu ousaria dizer, de parte a parte. Nos entendemos muito bem numa relação que nunca foi pautada pelo contrato, mas pelo entendimento de um e de outro. Assim foi por muito tempo. Hoje, as duas companhias são muito maiores, mais profissionalizadas, mas em todas as etapas em que a relação passou por momentos tensos, como toda relação passa – renegociação, um simples crédito, ou coisas do gênero –, em última instância, Luiza e eu sempre acertamos na base da relação pessoal", diz Pedro.

Quando o Unibanco se fundiu ao Itaú, em 2008, essa interlocução mudou de figura, Pedro tinha novas atribuições e a interface entre o Magazine e a financeira se tornou mais protocolar. O tipo de coisa que desagrada a Luiza Helena, a deixa menos segura. Além de o Itaú carregar, então, uma reputação de subestimar o segmento do varejo, tratava-se, de fato, de um novo regime de convivência, digamos, mais tecnocrático. Não se tratava de desprezo do banco pelo varejo, a relação do dia a dia passou a um novo modelo, "Itaú". Roberto Setubal, o CEO do banco, administrava muitas parcerias com varejistas, como Lojas Americanas e Pão de Açúcar, e um grupo grande de empresas com que operava.

Luiza Helena se sentia, e de fato era, mais uma na gestão de tantos clientes e relações. O modelo do Itaú era muito orientado a processos e multas contratuais, o que ela enxergava como campo fértil para ruídos e desacordos. E, no caso de problemas, não bastava mais pegar o telefone e ligar para Pedro Moreira Salles. Agora, se precisasse de qualquer coisa, tinha de ligar para Setubal, que ela não conhecia. Pedro assim interpreta o sentimento de sua amiga Luiza Helena: "Ela sentiu que a relação tinha mudado de eixo, que isso significava ela cair numa vala comum, onde outros estavam e ela não estava disposta a isto".

Depois de pouco mais de dois anos de convivência na nova configuração, Luiza estava insatisfeita, sentia-se desprestigiada. Quem explicitou para ela as razões de seu desagrado foi o CEO do Magazine Luiza, à época, Marcelo Silva, que disse: "Luiza, a sensação que eu tenho é que o Magazine virou um braço varejista do Luiza Crédito, quando é o contrário: a Luiza Crédito é que é um braço financeiro do Magazine. Esse negócio está invertido, não está certo. Uma empresa de cartão de crédito é um braço financeiro do varejo".

Uma reunião foi marcada com Roberto Setubal. Não se podia esperar uma negociação fácil, a conversa prometia ser espinhosa. Marcelo Silva explica o contraste de temperamentos e estilos: "Setubal é um cara cartesiano, ela é anticartesiana". Além de Setubal "jogar em casa", recebendo os representantes da varejista, havia um evidente desequilíbrio na relação de poder entre o maior banco privado do Brasil e o Magazine.

Luiza Helena, o filho Frederico e Marcelo Silva não conversaram no carro, a caminho da sede do Itaú-Unibanco. Entraram no elevador, subiram em silêncio até o escritório da presidência. Assim que a porta se abriu no andar da reunião... Luiza Helena soltou a bomba: "Quando chegou no 19o andar do prédio eu falei para os homens assim: 'Eu não quero mais ser sócia do Itaú'. Se eu falasse antes eles iam me matar...".

Fred ouviu calado, Marcelo Silva tentou rebater: "Eu tremi nas bases, porque o Setubal podia dizer 'vamos desfazer a sociedade'. Falei: 'Luiza, pelo amor de Deus, isso é um xeque-mate. Isso é colocar o cara no *corner*. Quando você faz isso, ele só tem uma saída: ir para cima de você!'".

Entraram na sala, Luiza não tergiversou: "A nossa sociedade não está sendo boa pra gente e nem está sendo boa para você. Precisamos rever isso". Para estupefação geral, Roberto Setubal retrucou com tranquilidade: "O que você quer para continuar sendo minha sócia?". De modo ainda mais surpreendente, Luiza impôs sua condição: "Eu quero que você fique três horas numa loja comigo para ver o que é o varejo, é diferente".

O banqueiro mais poderoso do Brasil assentiu: "Está bom, pode marcar que eu vou".

Poucos dias depois, Roberto Setubal foi de helicóptero à filial do Magazine Luiza em Aricanduva, bairro da zona leste de São Paulo. O banqueiro lá ficou mesmo por três horas, falou com vendedores, conversou com clientes, experimentou a realidade do varejo. Daquele dia em diante, a relação entre o Magazine e o Itaú não teve mais problemas sérios.

LUIZA HELENA RECEBE TÍTULO DE CIDADÃ PAULISTANA EM 2013.

CAPÍTULO 24:
O GOSTO PELO CONFRONTO

"Eu não sou boazinha. Eu sou brava."
Luiza Helena Trajano

Tento contar a história da criadora sem que a história da criatura tome conta da narrativa. Não é fácil, o Magazine tem uma biografia extraordinária. Outros livros, documentários, filmes – e podcasts, como o excelente *Do zero ao topo* – podem dar conta muito bem da trajetória da empresa. Aqui, em nossa incursão ao planeta Luiza Helena, vemos como sua história e a de sua empresa são entrelaçadas, como o Magazine e sua cultura são expressão da personalidade de sua líder.

Observemos os episódios em que o caminho da empresa foi determinado pela singularidade de Luiza, momentos em que decisões corporativas revelam e refletem o ser humano responsável por elas.

No encontro decisivo no Itaú, vimos como Luiza Helena raciocina com a emoção, como dá crédito a sua intuição. Vimos também como essa suposta abstração se traduz e é percebida como autoridade concreta – ela sabe o que não quer e tem clareza para expor isso.

Pedro – *Quando você tem que fazer valer sua autoridade, como você faz? Bate na mesa? Qual é seu estilo de fazer valer autoridade?*
Luiza – *Eu tenho vários estilos, Bial. Por exemplo, quando estou enxergando uma coisa que ninguém está enxergando... Vou indo... Primeiro, não é tão claro, porque não sei explicar o que eu estou sentindo, mas já estou lá na ação. Aí eu falo assim: 'Não pode 'isso'...', Aí me apresentam um organograma e está lá o 'isso'. Eu dou um choque. Daqui a um pouquinho, volta a paciência e eu explico de novo. Mas não abro mão daquilo que estou sentindo. Eu mudo a tática, mas não abro mão. Ou fico parada esperando clarear... mas quando sinto aquele impulso que eu tenho que ir e aquilo é importante, eu vou.*

O testemunho do parceiro Marcelo Silva, hoje no Conselho do Magalu, descreve uma negociadora dura, mas democrática: "Em muitas reuniões, ela diz: 'Vocês todos estão achando assim, eu não acho, a minha intuição diz o contrário. Mas se vocês estão achando, podem fazer, não vou dizer 'bem que eu avisei'.' Quando ela diz OK, mesmo que não esteja concordando, é OK".

Vamos entender melhor tal gosto de Luiza Helena pelo confronto. A filha Ana Luiza já indicou pra gente, no capítulo 14, o que a mãe entende por confronto: "Confronto, não o negativo, mas confrontar, ter opinião, confrontar situações, colocar opinião".

Luiza Helena: "A gente se acostumou em família a confrontar. Eles com os irmãos. E não levam para o lado pessoal. Se eles acham que eu não estou certa, eles confrontam. Se eles acham que alguém não está certo, eles confrontam. Mas não no sentido de destruir. Então, eles confrontam comigo como eu confronto com eles".

Segura em sua autoridade, Luiza sabe reconhecer a autoridade alheia – assim como Roberto Setubal soube reconhecer a dela. Sucede que, diante de sua assertividade, alguns podem se encolher, adotar uma postura reverente, ainda que ela viva a promover a irreverência.

Em seu gosto pelo confronto de ideias, seu estímulo ao confronto, Luiza Helena é contracultural. Brasileiríssima, comporta-se com ética que mais parece protestante anglo-saxã – não contemporiza, não amorna, não busca apaziguar por apaziguar. Explico por que contracultural. É traço cultural brasileiro, talvez por certa herança lusa, o hábito de, em vez de tentar resolver o conflito, fingir que ele não existe. Como bem rezam os versos de "Fado tropical", de Chico Buarque e Ruy Guerra: *"Mesmo quando as minhas mãos estão ocupadas/ Em torturar, esganar, trucidar/ Meu coração fecha os olhos e sinceramente chora"*.

Luiza Helena não fecha os olhos. "Eu não sou boazinha. Eu sou brava. Aquilo que te falei: eu vejo tudo tão claro, quando sinto uma coisa, ela é tão nítida no processo para mim; posso não saber explicar, mas eu não recuo."

■ ■ ■

Anos antes de deixar a superintendência do Magazine, Luiza Helena tinha a clareza de que estava chegando a hora de se retirar, abrir caminho para a renovação. Ela já tinha encontrado o executivo que considerava ideal para assumir como CEO e conduzir a abertura de capital da empresa. Não apenas isso, tratava-se de um profissional com experiência e sensibilidade para gerir a sucessão familiar, administrar a sensível alternância de poder entre gerações. Só havia um problema: ele era o CEO das Casas Pernambucanas, Marcelo Silva. Os dois se conheceram quando participaram da criação do Instituto para Desenvolvimento do Varejo (IDV), em 2004. Os "santos" dos dois se entenderam de cara: "Eu percebi uma sinergia muito grande nos pontos de vista dela conceituais com os meus. Integridade. Pessoas em primeiro lugar, uma coisa que eu sentia que era verdadeira. E ela sentia a mesma coisa, percebia que as Pernambucanas tinham algo diferenciado", conta Marcelo.

Em 2006, Luiza Helena disse: "Marcelo, quero que você me faça uma promessa. No dia em que você sair das Pernambucanas, que eu seja a primeira pessoa a ser contactada depois da sua família". Marcelo se comprometeu: "Está feito".

Em 2007, Luiza Helena voltou à carga, perguntou a Marcelo como estava, não teria coragem de tirá-lo das Pernambucanas. "Uma coisa é você tirar o cara, outra é esperar ele sair", reconhece Marcelo, que teve a chance de conhecer mais de Luiza: "Ela sabia que precisava fazer uma mudança muito forte no Magazine".

Em 2008, a iniciativa foi de Marcelo Silva: "Luiza, vou completar os 100 anos das Pernambucanas, mas não vou continuar em 2009. Meu tempo acabou aqui. Meu ciclo já se encerrou".

Em 17 de fevereiro de 2009, Marcelo formalizou sua saída das Casas Pernambucanas. No dia seguinte, ligou para Luiza Helena: "Promessa cumprida, quero te dizer que ontem eu deixei as Pernambucanas. Queria te dizer que independentemente daquilo que você vem falando comigo, eu vou para Boston, meu filho está lá e quero fazer cursos em Harvard". Luiza retrucou: "Hoje à noite você pode jantar comigo?". Um jatinho levou Luiza Helena de Franca a São Paulo; Marcelo aprendeu mais um pouco sobre a futura comandante:

Marcelo – *Luiza Helena não deixa para depois, é aqui e agora. Impressionante isso. É um furacão.*
Pedro – *Tem até uma frase que ela diz: "É pra já!".*
Marcelo – *É pra já. Tudo dela é pra já. Eu falei: 'Luiza, vai entrar março agora, vai ter carnaval e eu vou para Recife. Março eu vou passar para o meu substituto que eu não sei se vai ser de dentro ou de fora. A partir de abril eu estou indo para Boston'. Ela falou: 'Não dá para aguentar mais. Eu já esperei você 2006, 2007 e 2008. Tem que ser agora'.*

Como novo CEO do Magazine, Marcelo Silva tinha uma missão bem delineada. "Qual era a minha missão? Profissionalizar, criar uma diretoria executiva, fazer um planejamento estratégico, abrir o capital, mudar o escritório para São Paulo e no final fazer a minha sucessão. Quer dizer, eu já entrei lá com a missão de fazer a minha sucessão."

Em abril, Marcelo se mudou para Franca, foi morar num apartamento da família Trajano perto da loja Um, ia a pé para o escritório central. Ficou lá um ano e meio, até fazer a mudança do comando para a capital, São Paulo.

Marcelo tinha trinta e dois anos de experiência de trabalho em empresas de família, vinte e cinco anos com os Paes Mendonça, dos Supermercados Bom Preço, e sete com os herdeiros Lundgren nas Pernambucanas. "Quando eu cheguei, tinha muito confronto público entre Luiza e Frederico. Quando questionei isso, Frederico disse: 'Fui criado assim'. Eu disse: 'Eu não vim aqui para confrontá-la, e nem na frente de ninguém'." Só faltou combinar com Luiza Helena. Marcelo acabou protagonizando duas brigas de gente grande com a patroa.

■ ■ ■

"Marcelo não veio necessariamente para ser uma transição entre mim e minha mãe, mas para cumprir um ciclo na empresa", explica Frederico Trajano. "Minha mãe precisava de alguém com habilidades complementares às dela. Ele criou uma diretoria executiva, organizou o planejamento, a parte orçamentária, abriu o capital da companhia, fez a mudança para São Paulo, trouxe diretores executivos de peso, eu inclusive me tornei um deles."

Frederico disse mais de uma vez que Marcelo Silva tinha de confrontar mais Luiza. Marcelo conta, com dramaticidade, como reagiu: "Olhem aqui, todos para mim, nos meus olhos. Eu não vim para o Magazine Luiza para criar mais problemas com a Luiza, eu vim para ajudar vocês a resolver os problemas. Tem mais uma coisa que quero dizer: vocês jamais me verão confrontando a Luiza na frente de vocês, tirem o cavalinho da chuva".

Dentro dos escritórios do Magazine, todos conhecem os berros de Luiza Helena. E todos dizem a mesma coisa: que ela só grita com quem trabalha há tempo suficiente para ter intimidade. A intimidade da relação de Luiza e Marcelo se expressou em duas ocasiões. Marcelo lembra que, em agosto de 2010, "começamos os trabalhos para a Liquidação Fantástica. A turma pensa que é só você abaixar os preços em 50%, mas não é assim. Tem toda uma operação de guerra, que começa em agosto, com a área de Marketing e Mídia. O nosso assessor de imprensa avisou: 'Olha, as equipes de televisão vão lá para Aricanduva que é a maior loja do Magazine'".

Como CEO, para Aricanduva lá se foi Marcelo, com seu diretor de vendas, Frederico Trajano. "Chegamos lá às 5 horas da manhã, abriram a loja, aquela multidão, filas no shopping, as pessoas começaram a entrar e comprar." Às 8 horas da manhã, o desastre: o sistema operacional caiu. A loja parou, as pessoas impedidas de comprar, Marcelo impotente para resolver a pane. Quando o sistema voltou a funcionar, o CEO saiu dirigindo, com Fred, rumo ao escritório. Marcelo relembra: "O telefone tocou, era Luiza Helena: 'Marcelo, o sistema caiu, isso não pode acontecer mais no Magazine Luiza. Eu vou assumir essa área'. Aí, eu falei: 'Você não vai assumir, não. O CEO sou eu, você não vai assumir'".

Desligaram. Quando chegou no escritório, Marcelo esperava uma discussão pesada. "Eu desci, fui à sala dela. Ela estava quietinha, falou: 'Tudo bem, então você assume. Agora, isso não pode se repetir'. Essa foi a primeira discussão."

O segundo desentendimento foi pior. Luiza Helena, quando CEO, não gostava que se descontassem recebíveis de cartão de crédito, valores que a empresa tem a receber. Todos já tinham tentado demonstrar a ela que era melhor, não adiantava, sempre foi bronqueada com isso. Sob a administração de Marcelo Silva, o Departamento Financeiro passou a descontar os recebíveis. Luiza Helena interpelou o pessoal do Financeiro: "Por que vocês descontam os recebíveis?", e ouviu: "Descontamos os recebíveis porque precisamos, mas é uma coisa normal". Marcelo sempre adotara esse procedimento, não via mistério. Luiza Helena o chamou a sua sala: "Vocês continuam descontando recebíveis, quando eu era CEO não fazia isso, eu tinha fluxo de caixa na minha mão".

Marcelo tinha sido CEO do Bom Preço, CEO das Pernambucanas, era CEO do Magazine. De fluxo de caixa, ele entende muito. Ele confessa que não contou até dez. Sem paciência, pegou a folha do fluxo de caixa, mostrou o papel e desatou a falar: "Olha, Luiza, você entende de tudo do Magazine Luiza, mas dessas duas folhinhas aqui, eu entendo. Disso aqui eu entendo, eu não gosto de te dizer isso, mas isso é da minha concordância e não pode ser feito diferente, não".

Saiu bufando da sala, pegou o carro com motorista, até que na marginal Tietê... "O sangue baixou e eu pensei: poxa, fiz uma coisa que eu nunca tinha feito com a Luiza, eu subi o tom, e na frente de duas pessoas. Liguei: 'Luiza, queria te pedir desculpas, subi o tom indevidamente, você sabe que eu não faço isso, mas eu perdi a calma'. Sabe o que ela respondeu? 'Adorei.' Adorou? Adorou o quê? 'Adorei a sua firmeza, a sua posição masculina de saber o que está fazendo.' Me desarmou totalmente."

PEQUENO GLOSSÁRIO DE LUIZA HELENA

PENSE COM CABEÇA DE RICO E AJA DE ACORDO COM O BOLSO.

- **1:** OUSAR, SONHAR, OUSAR SONHAR.
- **2:** CABEÇA NAS NUVENS, PÉS NO CHÃO.
- **POR EXTENSÃO:** NÃO SE CONFORMAR COM A REALIDADE DO BOLSO, NEM SE ILUDIR COM A FANTASIA DA CABEÇA.
- **SINÔNIMO:** AMBIÇÃO.
- **ANTÔNIMOS:** PRETENSÃO, COMPLEXO DE VIRA-LATAS.
- **ADVERTÊNCIA:** ENTRE PENSAR POBRE E ECONOMIZAR, E PENSAR RICO E ALMEJAR, POR QUE NÃO FICAR COM A SEGUNDA OPÇÃO? PARA LUIZA HELENA, O IMPORTANTE É ATENDER AO DESEJO E BUSCAR OS MEIOS DE FAZÊ-LO ACONTECER.

CAPÍTULO 25:
A CONQUISTA DE SÃO PAULO

Luiza Helena apostou alto naquele final da primeira década do novo século. A contratação de Marcelo Silva, grande profissional do mercado, para ocupar o seu próprio lugar de CEO era o início da arrancada rumo à abertura de capital. A entrada na Bolsa marcaria um salto arrojado, ao submeter a varejista, expoente do capitalismo produtivo, à lógica tantas vezes insólita do capitalismo financeiro, o "mercado".

Em 2008, o Magazine tinha alargado a passada ao entrar na capital paulista de maneira espetacular, inaugurando de uma só vez cinquenta lojas. Tudo foi tramado e realizado com excelência, irretocáveis logística, marketing e publicidade.

Luiza Helena já tinha uma parceria mais que profissional com Fausto Silva, depois de anos de seu caminhão dominical circulando todo Brasil, carregado de produtos do Magazine, fazendo a felicidade dos espectadores.

"Uma vez eu cheguei numa loja lá no interior da Bahia: Você é mulher do Faustão, né? Você é sócia do Faustão, né? Fausto vibrava tanto com a gente que pensavam que ele era sócio do Magazine", lembra Luiza. "Fausto é muito amoroso, uma pessoa muito generosa com todo mundo. Gosto muito dele. Eu consigo entender a sua alma. Ele dá palpite vinte e quatro horas, não deixa os outros criarem os programas sem ele. Ele é marqueteiro, ele é vendedor, criador."

O apresentador seria o homem propaganda da ofensiva na cidade de São Paulo. O filme comercial de lançamento foi uma superprodução matadora, estreou no domingo, no horário mais valorizado da programação da TV Globo. O Magazine Luiza chegava de helicóptero à metrópole, Faustão a bordo, com uma narração mais entusiasmada e inspirada que sempre, efeitos especiais, coreografias, fotografia de Walter Carvalho, trilha sonora e coro emocionantes.

O texto falava de "sorriso sincero, respeito a sua inteligência, olho no olho, jeito carinhoso, cinquenta lojas e dois mil sorrisos". Os sorrisos eram dos dois mil selecionados entre 120 mil candidatos ao emprego. Os escolhidos tiveram seus nomes publicados nos jornais. Os que ficaram de fora receberam mensagens personalizadas de agradecimento.

A campanha assim foi noticiada no *Propmark*, o mais antigo veículo especializado em comunicação, marketing e mídia:

Estreou no último domingo a superprodução criada pela Etco Ogilvy para o lançamento das 50 lojas do Magazine Luiza na Grande São Paulo. Com o apresentador Fausto Silva como protagonista, a ação conta com o filme de 60 segundos chamado Sinais, que exigiu 200 figurantes, entre funcionários e atores, e utilizou o mesmo software de O Senhor dos Anéis. *O comercial inicia com Faustão num helicóptero, sobrevoando a Grande São Paulo. Anuncia as 50 lojas e os dois mil sorrisos que estão esperando pelo consumidor de toda a região, uma referência ao número de novos profissionais contratados. Enquanto isso, lá embaixo, figurantes e funcionários da rede estão em pontos turísticos da cidade de São Paulo. Vistos do alto, eles formam ícones que representam alguns valores do Magazine Luiza.*

Em matéria publicada no dia seguinte à mega inauguração, o caderno "Mercado" da *Folha de S.Paulo* informava: *Por meio da assessoria de imprensa, a líder no segmento, Casas Bahia, informou que não vai comentar a chegada do Magazine Luiza à Grande São Paulo, mesma posição adotada pelo Ponto Frio.*

Diante da nova dimensão que o Magazine ganhava, Luiza ouviu e guardou o conselho de Faustão: "Nunca esqueço uma passagem que ele disse para nós, uma coisa que a gente cita até hoje: 'Vocês vão ver agora o que que é ser vidraça'. Tenho uma gratidão muito grande ao Fausto. Ele conheceu nossa alma, valorizou nossa alma. Ele teve um carinho pelo nosso tipo de cultura, pela nossa vida. Me considero amiga do Fausto, de sofrer com ele, de saber como está. Estou sempre preocupada com ele".

CASAS BAHIA

O Magazine Luiza sempre foi o Davi e as Casas Bahia o Golias. Samuel Klein, o patriarca das Bahia, não perdia oportunidade de provocar tia Luiza, dizendo que um dia ainda iria comprar o Magazine...

Em 2008, quando o Magazine Luiza entrou na cidade de São Paulo, abrindo cinquenta lojas de uma só vez, as Casas Bahia acusaram o golpe. Em meio a sempre acirrada disputa entre as duas varejistas, uma tacada dos francanos mexeu com os brios dos então líderes do mercado.

Para promover a circulação de clientes nos novos endereços paulistanos, o Magazine decidiu vender um determinado televisor a 299 reais, um preço irreal, abaixo do custo. Samuel Klein não hesitou: mandou comprar todos os televisores em liquidação no Magazine. Depois, os pôs à venda por cem reais a mais.

Luiza Helena se lembra de um atrito épico entre sua tia e o dono das Bahia. Durante um cruzeiro marítimo, promovido pela Philips para empresários do varejo, Samuel não a poupou. Assediava a todos os varejistas, querendo fazer aquisições.

"Nessa viagem, ele saiu comprando todo mundo. Ela ficou brava e deu uma 'guarda-chuvada' nele: 'Seu Samuel, para de falar que vai comprar as pessoas, que falta de educação!'. Aí ele respondeu: 'Eu vou te comprar um dia...' Minha tia na hora retrucou: 'Minha empresa vale 1% da sua, mas eu não te vendo'."

Quando, não faz muito tempo, o Magazine tomou a liderança das Casas Bahia, Luiza e Frederico foram, com muito jeito, contar para tia Luiza. "A gente é proibido de falar isso aqui, que somos os maiores. Isso não se fala. Então, falamos assim: 'Olha, tia Luiza, nós passamos as Casas Bahia em faturamento'." Tia Luiza absorveu o que ouvira, olhou para a sobrinha e replicou: "Vocês têm mesmo certeza disso?".

Nem Faustão, nem Luiza Helena, ninguém poderia prever as consequências do derretimento do sistema financeiro internacional na pior crise nos Estados Unidos desde a quebra da bolsa de 1929. O banco Lehman Brothers pediu falência uma exata semana antes do grande desembarque do Magazine na capital paulista. O risco de bancar um crescimento instantâneo de 20% da empresa, da noite para o dia, significava endividamento. Logo as ondas gigantes da tempestade externa bateriam no Brasil, secando a liquidez na praça, tirando dinheiro de circulação.

Pois, justo naquela semana, nos dias entre a quebra do Lehman e a inauguração triunfal das lojas do Magazine em São Paulo, Luiza Helena tinha uma palestra marcada para o mercado financeiro. Na plateia de economistas e analistas financeiros o clima era tenso, astral pesado. Claro que uma das primeiras perguntas foi sobre o que Luiza pensava fazer, comprometida com a grande aposta, "alavancada", diante da maior crise econômica em oitenta anos de história. Não havia como adiar a abertura das lojas. Diante daquele público de credo ateu, a própria encarnação do "mercado", Luiza Helena respondeu: "Só me resta rezar...".

■ ■ ■

Segundo Frederico Trajano, 2009 foi o momento mais perigoso que o Magazine enfrentou, pior até que a despencada no preço das ações, mais adiante, em 2015 e 2016: "Com a crise internacional de 2008, os bancos pararam de emprestar e a empresa na época precisava do dinheiro. Era um momento em que o mercado de crédito não sabia como o Brasil ia reagir, por isso estava recrudescido. Foi um momento difícil em que a gente teve que alongar dívidas".

Marcelo Silva foi o parceiro de Fred nesse momento crítico: "Em 2009, nós tivemos inclusive que reestruturar a dívida da companhia, alongar o passivo, implantar uma diretoria executiva, estabelecer controles mais robustos nos estoques, foi realmente uma reviravolta nesse sentido".

Mas para crescer e aparecer com ações atraentes na Bolsa, o Magazine tinha que se expandir. A compra de uma grande e tradicional rede de varejo seria um sinal de força, levaria o Magalu, pela primeira vez, à liderança nacional em seu setor. E o Ponto Frio tinha sido posto à venda. Luiza Helena foi a Nova York conversar com a controladora da grande varejista, Lily Safra. A viúva de Edmond Safra demonstrou grande simpatia pela ideia de transferir o negócio para empreendedores oriundos do interior. Foi um dos mais altos sonhos de Luiza, e uma de suas mais profundas decepções.

SABER PERDER

"Já vi Luiza chorar muitas vezes, já a vi chorando na empresa, aqui em Franca, muitas vezes por pressão da holding muito grande, às vezes da própria família, porque ela queria fazer as coisas", relata a amiga de vida, Eliane Sanches, fundadora do Mulheres do Brasil e líder do grupo em Franca. "Uma das vezes em que ela sofreu muito foi quando perdeu a compra do Ponto Frio. Essa moça sumiu lá para o rancho, ficou dias por lá, ela chorou muito."

A disputa pelo Ponto Frio e suas 455 lojas em todo território nacional começou em março de 2009. O Magazine estava muito bem cotado, já era um dos destaques no segmento do varejo, ainda liderado então por Casas Bahia e Ponto Frio. A rede, pioneira na expansão nacional e publicidade massiva na televisão, fora criada em 1946, por Fred Monteverde, primeiro marido de Lily Safra. A aquisição do Ponto Frio levaria o Magazine ao Rio de Janeiro e a mais nove estados, o que o tornaria líder do segmento.

Em maio, o Magazine Luiza era o favorito para levar o Ponto Frio. O Pão de Açúcar de Abílio Diniz era o único concorrente, discreto.

Na primeira semana de junho de 2009, parecia que Luiza tinha ganhado a parada. A expectativa dela, e dos observadores, era de que o negócio fosse fechado no início da semana seguinte, na segunda-feira, dia 8 de junho. Pois nesse exato dia, Abílio Diniz anunciou a aquisição do Ponto Frio por 824 milhões de reais.

Luiza Helena lembra, sem amargura na voz: "Sabíamos que o Pão de Açúcar e o Magazine haviam passado para a última fase e que eu tinha até segunda-feira, uma semana de prazo, para fazer uma proposta fechada. Nosso fundo, Grupo Capital, ia chegar no sábado para discutirmos domingo e fazer a proposta na segunda. O que eu não sabia é que durante a semana, alguém podia falar 'ou vocês fazem ou desisto'. Eu não sabia...".

O ultimato do grupo Pão de Açúcar foi dado na quinta-feira, 4 de junho. Luiza Helena ainda foi avisada para apresentar sua proposta até o sábado, 6 de junho, mas ela dependia do fundo parceiro, que não foi tão parceiro. A relação entre o Capital e o Magazine ficou abalada, assim como Luiza. "Eu fiquei muito mal. Foi como se eu tivesse morrido na praia."

No mercado, há quem chame a manobra de Abilio Diniz de "golpe". Não é a versão de Luiza Helena. "Eu não sabia que durante a semana podia fazer uma proposta de 'vai ou racha'. Eu não sabia e aprendi isto. O problema não é deles, eu é que não sabia. Eu não culpo os outros, eu levo sempre pra mim. Se você não deu certo numa coisa, é porque você 'não se permitiu dar'. Eles usaram o que era permitido e eu não sabia."

O ano de 2009 guardava o pior para o fim.

A crise econômica e suas consequentes intercorrências nos negócios iriam se resolver. No comando, Marcelo Silva e Frederico Trajano formavam uma dupla bem afinada, que soube manobrar as circunstâncias, atravessar o pior da tormenta e seguir fortalecendo a companhia para, em breve, dar o passo gigante da abertura do capital do Magazine Luiza.

Luiza Helena alargava a cada dia sua atuação e influência para além do Magazine, afirmando-se não apenas como líder de classe, fazia já sua voz se impor nos centros de decisão do Brasil. Começava sua ascensão à posição de líder consagrada da sociedade civil.

Desde que retomaram o casamento, fazia já quase vinte anos, Erasmo dedicava-se mais e mais a ser seu porto seguro, o apoio, ombro e colo, companheiro. Frederico testemunha: "Nesse segundo ciclo da relação deles, meu pai dava um apoio muito grande para minha mãe. Ele era um esteio, um suporte. Vivia praticamente em função desse apoio a ela, nessa segunda fase. Era uma companhia. Depois que ele morreu, ela passou a morar sozinha, ficou mais solitária. Imagino que para ela foi difícil perder esse apoio, um cara que fazia isso sem competição, sem peso de culpa de ser um homem que tem por missão apoiar a esposa e não uma missão própria e direta. Estava com ela em tudo, enfim".

O irremediável veio no Dia de Finados. Naquele segundo dia de novembro, a família aproveitava o feriado no rancho, reunida com amigos. Todo mundo em volta da piscina, Erasmo brincava com os netos dentro d'água. Saiu, pegou uma toalha, foi se enxugando em direção à casa. Demorou para voltar, normal, ele costumava sair em caminhadas por ali. Quando Fred foi levar a filha ao banheiro, encontrou o pai caído no chão. Ao chegar, o médico só pôde atestar o óbito. A família não quis fazer autópsia, tudo indica que a morte súbita de Erasmo, aos 62 anos, tenha sido causada pela ruptura de um aneurisma abdominal. Frederico, que estava vivendo um reencontro com o pai, não gosta de lembrar da cena. "Eu presenciei a morte dele, de repente, sem que tivesse nenhuma condição de saúde anterior que indicasse isso. Um dia muito triste."

A caçula Luciana estava em São Paulo. Da chegada ao velório, em Franca, guardou a expressão de desconsolo do irmão. Ana Luiza estava trabalhando em seu restaurante, na capital. Sua mãe ligou, em desespero. "Minha mãe ligou no Brasil a Gosto e falou para me chamarem. Eu tinha acabado de chegar... Estava fazendo o rito, repassando o cardápio, organizando o dia. Respondi que já retornava, mas me disseram que era urgente. Quando atendi, minha mãe estava gritando meu nome. Dizia que meu pai tinha caído no banheiro. 'Acho que morreu, morreu! Está morto, está morto, morto!' Foi a primeira vez que vi minha mãe ficar sem ação..."

O sobrinho Julio Trajano, que ajudou com as providências do velório, lembra-se como Luiza Helena lidou com o luto, aferrando-se inda mais ao trabalho: "Vinha para o Magalu, ocupava a cabeça com muitas outras coisas. Mas, quando voltava pra casa, se sentia muito sozinha, chorava. Foi um momento duro, foram dois ou três anos pesados para ela. Trabalhar ainda mais foi a válvula de escape".

Além do trabalho, Luiza teve o apoio das amigas que sempre cultivou. Ficou ainda mais próxima de Chieko Aoki, presidente da rede Blue Tree Hotels, que também perdera o marido, o empresário John Aoki, falecido depois de longa enfermidade. Como se a dor dessas perdas as tivesse colado, sem ter se colado nelas. Mulheres de negócios muito atarefadas, arranjam de estar juntas nas madrugadas, sempre que possível.

"Como somos viúvas, às vezes Luiza me convida para dormir na casa dela. Bebo água quente antes de me deitar e, quando chegamos muito tarde, ela mesma ferve água e coloca na garrafa térmica pra mim." Para quem pensa que as duas poderosas ficam tramando os próximos movimentos na selva dos negócios, Chieko esclarece: "Ficamos na casa dela, falando sobre notícias e tratamentos de beleza".

PEQUENO GLOSSÁRIO DE LUIZA HELENA

GOSTO DE COSTURAR AS PARTES.
- **1:** VOCAÇÃO POLÍTICA.
- **2:** TALENTO POLÍTICO.
- **POR EXTENSÃO:** TUDO ESTÁ INTERLIGADO.
- **SINÔNIMOS:** ABRIR ESTRADAS, FURAR TÚNEIS, ERGUER VIADUTOS, CATEDRAIS.
- **ANTÔNIMO:** CULTIVAR CONFLITOS, EM VEZ DE ENFRENTÁ-LOS.
- **ADVERTÊNCIA:** DOM DE JUNTAR, EM TORNO DE PROJETOS, PESSOAS DE INTERESSES COMUNS, OU MESMO DISSONANTES. HABILIDADE DE ATAR OS FIOS DA GRANDE COLCHA SOCIAL.

CAPÍTULO 26:
REPRESENTANTE DE CLASSE

Um cínico diria que o capitalista só tem três prioridades: o lucro, o lucro e o lucro. Além de cinismo, isso pode denotar miopia e desconhecimento de mecanismos básicos do capitalismo. O capital só cumpre seu itinerário de gerar mais capital se houver mercado. Num país pobre e sem perspectivas de prosperidade, qualquer empresa tem um teto muito baixo para crescer. É quase uma platitude dizer isso, mas uma empresa só desenvolve seu potencial se o país em que atua se desenvolver.

Por isso, Luiza Helena insiste: "Só é bom pra gente se for bom para o Brasil". A frase resume sua crença em negócios que gerem riqueza para sua empresa e para o país. O varejo brasileiro, segundo maior gerador de empregos da economia, motor e medidor de prosperidade, precisava, na visão dela e de outros empresários, de uma entidade representativa que cuidasse desse sentimento e desejo: de que os varejistas são importantes e podem contribuir mais para o Brasil.

REPRESENTANTE DE CLASSE

O Instituto para Desenvolvimento do Varejo (IDV) foi concebido, em 2004, em Nova York, num jantar de empresários brasileiros presentes à National Retail Federation (NRF), a Federação Nacional do Varejo, a maior feira de varejo do mundo. Lideraram a iniciativa Flávio Rocha, da Riachuelo; Marcos Gouvêa de Souza, da consultoria GS&MD; Artur Grynbaum, do Boticário; José Galló, CEO da Renner na época, e Luiza Helena.

O IDV não teria sido fundado, sequer idealizado, sem o poder de arregimentação de Luiza. Para articular as principais peças da entidade, ela insistiu num discurso característico: de que o instituto nasceria para resgatar a autoestima dos varejistas frente a outros setores, como o industrial, e marcar a potência do varejo brasileiro.

A entidade surgiu com o intuito declarado de não apenas defender interesses de classe, mas de encaminhar políticas afirmativas, dialogando entre si e com o poder público, para contribuir no crescimento sustentável da economia nacional. "Na época, o varejo não tinha a importância de hoje no Brasil, era muito pulverizado. O IDV nasceu para combater a informalidade do setor e até lidar com uma certa falta de amor-próprio. Os varejistas tinham um complexo de vira-lata que não lhes permitia entender o papel que deveriam ter, e de fato passaram a ter na cadeia econômica, passando de coadjuvantes a locomotiva", diz Flávio Rocha, primeiro presidente do IDV.

Para cumprir o intuito declarado, de organizar a classe e fortalecê-la nos contatos com o poder público, era preciso quebrar velhos hábitos, derrubar tabus. Como, por exemplo, convencer empresários a abrir seus números de faturamento, receita e despesas, algo impensável para muitos, que consideravam esses segredos trunfos estratégicos. A experiência iria demonstrar que tal apego ao sigilo era quase supersticioso, uma tradição que perdera o sentido. Mas quem iria convencer os varejistas a compartilhar seus segredos com os colegas e o público? Ora, uma certa varejista conhecida por sua capacidade de persuasão, ela mesmo: Luiza Helena Trajano.

Sempre em seu estilo de começar pelo consenso para lidar com o confronto, Luiza sentou à mesma mesa de concorrentes históricos e buscou fazê-los ver os interesses comuns a todos. Principiou por garantir que estava fora de cogitação pedir que fossem abertos dados que pudessem alimentar a concorrência – algo como assegurar a todos de coisa já assegurada, como dizer que não valia furar o olho do colega.

Fabíola Xavier, diretora executiva do IDV desde 2009, não hesita em enfatizar que "a mais notável contribuição de Luiza foi o amálgama promovido por ela, desde o começo, na construção de uma categoria até então inexistente – a categoria do varejo". Reunidos em torno dela, concorrentes passaram a conviver e a abrir dados de suas empresas, claro, sempre aqueles que não prejudicassem suas performances entre seus pares. Esse pacto de transparência permitiu reunir informações que nunca antes tinham sido analisadas, sequer organizadas ou expostas.

REPRESENTANTE DE CLASSE

Tal *data*, recolhida e ordenada pelo IDV de maneira sistemática e confiável, tornou-se um medidor inédito na história econômica brasileira. Esses dados são hoje o termômetro mais preciso da atividade varejista brasileira e, por extensão, do estado de espírito de toda a sociedade. Não só de espírito, é um retrato de nosso nível de consumo e poupança, a imagem no espelho do bolso do brasileiro, de sua conta bancária. Criou-se um painel precioso, um quadro único em que governo e analistas podem avaliar a saúde da economia. Assim, o IDV não só ganhou força e confiança, tornou-se imprescindível, municia os "tomadores de decisão" de informação qualificada, que não obteriam por nenhuma outra fonte.

Não por acaso, a entidade cresceu rápido, ganhou relevância. Hoje, são 74 empresas associadas que compartilham seus dados internos em comitês estratégicos, para que se trabalhe a partir de demandas objetivas das afiliadas. O grupo reúne empresas que totalizam 761 mil funcionários e 424 bilhões de reais de faturamento – fez-se interlocutor obrigatório do ocupante da cadeira presidencial preocupado em tomar o pulso do país. "A gente nunca teve problema com nenhum governo. Ao contrário, o canal é aberto, e eles sempre nos ouviram. O IDV é uma entidade estruturada, capaz de dar diagnósticos do que realmente está acontecendo. Tem um trabalho de bastidor, de pesquisa, muito forte", explica Fabíola Xavier.

A TRETA DE MAINARDI

Por mais conciliadora que seja sua administração de confrontos, Luiza pode ser demolidora ao defender seus argumentos — e ela os tem na ponta da língua.

Em 2014, Luiza Helena participava do programa Manhattan Connection, *quando o jornalista Diogo Mainardi, sempre cioso de sua fama de mau, questionou-a sobre o futuro do varejo, segundo ele, em estado periclitante: "Os juros estão subindo, o crédito diminuiu, a inadimplência aumentou, a inflação aumenta. A pergunta é quando você vai vender as suas lojas para a Amazon. Eu não vejo caminho para o varejista brasileiro. Vai haver crise. Se não existe ainda, haverá".*

Firme e simpática, Luiza respondeu que, segundo dados do IDV, nunca tinha havido índice de inadimplência tão baixo. "Ninguém vai ser vendido para a Amazon. Entrar no mercado brasileiro não é fácil. O Walmart teve muitos problemas e é o maior varejista do mundo. Eu gostaria de te passar os dados do IDV por e-mail", ofereceu Luiza, solícita.

"Me poupe, por favor", respondeu o jornalista, com sorriso azedo. As redes sociais formaram torcida organizada por Luiza, com as ofensas de costume a Mainardi e memes. Nada dessa algaravia virtual covarde agradou a Luiza, que sempre prefere acalmar os ânimos.

Durante alguns anos, Luiza Helena foi a única mulher no IDV. Mais tarde, chegaram outras, como Sônia Hess, então presidente da camisaria Dudalina. Flávio Rocha diz que, dada a força da presença de Luiza, esse desequilíbrio de gênero mal se notava. "Luiza sempre foi movida pela emoção. Ela sempre se viu como gestora de pessoas, o que é uma combinação muito bacana, do racional com o emocional."

Flávio Rocha e Luiza Helena desenvolveram uma amizade íntima, apesar das visões políticas quase antagônicas de cada um, reconhecidas por eles mesmos como "muito distantes". Amigos, provocam-se com boa dose de carinho: "No meu modo de ver, nossa sensibilidade social é a mesma, a gente só difere em como fazer as coisas. Eu acredito que a forma de inclusão mais eficiente é a prosperidade e a livre regulação do mercado. Luiza ainda acredita no papel provedor do Estado".

Para o líder da Riachuelo, Luiza Helena é uma capitalista de esquerda, essa impossibilidade prática. Mesmo assim, ele tem enorme admiração por Luiza. "Ela é unanimidade no varejo brasileiro, acima de qualquer suspeita em termos de boa gestão empresarial e empreendedorismo. E tem aquela sabedoria dela de só falar do que é consensual."

Sua atuação no IDV contribuiu para que Luiza se projetasse no cenário brasileiro como uma empresária com preocupações e atitudes que extrapolavam seu próprio negócio. Frederico Trajano, que receberia de Marcelo Silva, em 2016, o comando da empresa que tinha sido modernizada pela mãe, reconhece a importância da entidade para o crescimento de todos: "Numa entidade de classe como o IDV, seu papel é fazer a relação das empresas com o governo. Isso aproxima, sem dúvida. Todos os ex-presidentes do instituto tiveram esse contato de uma maneira correta, institucional. Não foi o único, mas com certeza foi um dos elos de aproximação dela com o poder público".

Ao assumir a presidência do IDV pela primeira vez, para o biênio 2009-2010, Luiza Helena tinha como missão principal encaminhar as reivindicações dos varejistas em meio à grave crise econômica – era lançada ao centro da arena política. Depois do negacionismo inicial, o governo não tinha como fugir às evidências de que o "tsunami" da crise internacional chegaria forte ao Brasil. Primeiro, a indústria automobilística arrancou alívios fiscais para estimular as vendas. Era natural, previsível, que o varejo lutasse por incentivos também.

Na negociação com o governo para conseguir a redução do IPI (Imposto sobre Produtos Industrializados) nos chamados produtos de linha branca (geladeiras, freezers, aparelhos de ar-condicionado, lavadoras de louças e de roupa, secadoras, fogões e fornos de micro-ondas), Luiza Helena impôs o ponto de vista do varejo de um jeito hábil, ampliado. Usava um raciocínio espelhado no discurso oficial, com argumentos tão racionais quanto persuasivos. Não justificava a necessidade de isenção fiscal apenas pelo imperativo de manutenção dos empregos num momento de crise econômica mundial. Luiza

Helena tocava no nervo da propalada opção preferencial do governo pelos pobres. Usava um exemplo concreto: o efeito transformador de uma lavadora automática na vida de uma mulher de baixa renda, que trabalha fora durante o dia e à noite tem de encarar o segundo turno das tarefas domésticas.

Foi bem-sucedida, conseguiu a redução do IPI sobre produtos da chamada linha branca. Isso manteve o varejo vivo, reduziu a possibilidade de demissões e influiu na vida de milhares de famílias de menor renda, que puderam pagar menos por produtos essenciais.

Durante a pandemia do coronavírus, em 2020, a liderança de Luiza Helena foi crucial. Convocou os empresários do varejo e pediu para que não demitissem funcionários. Foi, em grande parte, muito bem-sucedida.

Tem isso, Luiza Helena: quando ela chama, todo mundo responde.

CAPÍTULO 27:
BRASÍLIA CHAMA

Mais distante do dia a dia do Magazine, Luiza Helena se deixava atrair pela gravidade sedutora do universo da política. Um flerte correspondido. Brasileira que sempre quis influir na realidade de seu país, agora ela se via em posição de fazer, cada vez mais, diferença. Tinha a experiência desde os grupos católicos da juventude às associações de empresários, conselhos da sociedade civil e reuniões de todo tipo onde não era exceção ela ser a exceção, a única mulher. Em 2007, Luiza passou a integrar o Conselho de Desenvolvimento Econômico e Social (CDES) do Governo Federal. Ficou no chamado "Conselhão" até 2018 (no ano seguinte, o Conselho foi extinto pelo novo governo).

A intenção oficial do Conselhão era reunir poder e saber — notáveis em diversas áreas que pudessem contribuir com ideias, sugestões mais práticas ou menos —, que fosse um lugar de reflexão, elaboração de diagnósticos, mas, também, de profilaxias, estratégias e táticas para enfrentamento de problemas sociais e econômicos. Essa parte da prática e do enfrentamento, adivinhem, era aquela pela qual mais se batia a conselheira Luiza Helena. Basta examinar trechos de alguns discursos que fez no Conselhão para não só constatar o caráter de urgência que tentava imprimir aos trabalhos, como também identificar propostas que viriam a ser amadurecidas mais adiante pelo Grupo Mulheres do Brasil. Eis uma breve colagem de frases de Luiza nas reuniões:

"Este Conselho precisa ter metas claras, não mais do que cinco propostas claras para ser trabalhadas. Vamos parar de reclamar, vamos parar de falar mal do Brasil e vamos nos unir, minha gente!"

"A minha proposta é que existisse dentro do Conselho uma governança com foco no fazer acontecer. Para isso é necessário ter cinco prioridades e a gente deve começar a trabalhar numa agenda em grupos e esses grupos deveriam ter uma prestação de contas mensal, e o Conselho teria uma grande agenda bimestral, dinâmica, bem definida."

■ ■ ■

Por sua atuação como representante de classe, sua presença no Conselhão e seu endosso a ações sociais do governo, Luiza Helena acabou arcando com a fama de simpatizante do PT. Ela, que sempre se quis e de fato atuou de maneira suprapartidária, não pôde impedir que essa percepção se formasse. Também contribuiu para isso a identificação entre Luiza e Dilma, duas mulheres poderosas que não escondiam a admiração mútua.

Luiza Helena lê Dilma com clareza: "A Dilma tem a sensibilidade de entender o outro, como eu tenho. Ela consegue fotografar o outro por dentro. Só que ela lida de modo muito racional. Quando percebe que alguém pode traí-la, ela entra de sola. Ela fotografa, mas lida mal com a fotografia".

Pelo que se depreende a partir da imagem e do desempenho público de Dilma, ela parece não lidar bem com "fotografias" tiradas por outros. Mas da primeira vez que conversou com Luiza, teve de escutar conselhos firmes. Luiza chamou Dilma à razão. Ou melhor, à emoção.

"Eu era do Conselho do governo Lula e um dia em Brasília a vi fazendo um discurso horrível, que me deixou muito assustada. Quase um ano depois, fui dar uma palestra e chegou uma comitiva com Lula, Mantega, Dilma... O Lula deu um show de comunicação e a Dilma, mais uma vez, foi péssima. Quando ela desceu do palco, eu a chamei num canto e a critiquei, dizendo que tudo que ela falava era muito masculino: 'Se você vai ser candidata, esse discurso não vai pegar, já que você não fala com alma'. Na hora, pensei que ela fosse ficar indiferente. Para minha surpresa, ela confessou que o discurso não era para ela, e sim para o Lula, que pegou o discurso dela. 'Prometo que vou mudar', ela me disse. Eu achei legal, pois não tinha relacionamento algum com ela. Depois disso, nas vezes em que nos encontrávamos, ela sempre me perguntava se estava melhorando."

Dilma fez questão de dar um depoimento para este livro, pela admiração e afeto que tem por Luiza Helena.

"Tenho não só respeito pela Luiza, mas gosto dela. Eu estou dando esse depoimento porque gosto muito dela, nossa experiência foi extremamente positiva. Luiza, desde cedo, impressiona por duas coisas: pela simplicidade, é uma pessoa simples, e porque é extremamente inteligente, muito perspicaz, muito sagaz."

Na Presidência, Dilma quis criar uma secretaria com status de ministério para Luiza Helena. "Considerei que a Luiza seria uma excelente ministra. Por quê? Justamente pelos compromissos que ela tem com o país e que permitem que eu diga uma coisa: acho que, ao contrário de muitos países do mundo, a elite empresarial do Brasil olha muito pouco para o povo."

"Quem me fez o convite foi a presidente mesmo", lembra Luiza Helena. "Quando ela me chamou, eu estava na reunião do Conselho."

Dilma reconhece na amiga qualidades que lhe faltam: "Ela é uma negociadora, sabe negociar. Tem uma capacidade grande de agregar, de trazer pessoas para o lado dela, ao mesmo tempo que tem firmeza. Então, há essa dupla característica que é importante numa liderança. Ao mesmo tempo que tem capacidade de negociação, de interlocução, de liderar".

Chefe da Casa Civil, foi Antonio Palocci quem transmitiu a mensagem da presidente.

"O Palocci, que é da minha região, me chamou, disse que a Dilma queria falar comigo. Ela estava com três meses de governo. Eu nem tinha tanta amizade com ela. Eu subi e ela falou: 'Luiza, eu queria te convidar para ser ministra da Pequena e Média Empresa'. No ato, Palocci interveio: 'Dilma, você teria que negociar isso com os partidos'. Ela pegou um papel, desenhou um quadradinho e falou: 'Nesta sala só entra negociação pelo que é bom para o Brasil'. Ela queria dizer que na sala ninguém entrava negociando. 'A Luiza faz muitos anos que mexe com pequenas empresas, porque o partido vai me dizer se eu devo colocar ela ou não?'."

A proposta não vingou, talvez por falta de apetite de Luiza, talvez por Palocci não gostar da ideia. "Na época eu não podia mesmo, mas o Palocci não queria que eu fosse de jeito nenhum, ele queria esse enredo de partido. Eu acho até que ele arrumou um jeito de falar para ela que eu não queria", diz Luiza.

Dilma Rousseff é das pessoas que desejam ver Luiza Helena fazer carreira na política institucional: "Luiza tem condições de ser uma liderança política, tem todos os requisitos. Ela deve olhar com seriedade essa contribuição que pode dar como uma verdadeira política, íntegra, correta, preocupada com o país e com seu povo. Acho a Luiza Trajano uma das protagonistas dos próximos acontecimentos do Brasil".

■ ■ ■

Não tendo conseguido fazer de Luiza sua ministra, Dilma pediu que ela levasse um grupo de empresárias a Brasília. A presidente queria escutar o que as empreendedoras tinham a dizer sobre seus negócios e os obstáculos que enfrentavam. Luiza logo viu a catedral atrás dos tijolos, aproveitou a oportunidade de ir além da conversa e iniciar uma articulação. Organizou um grupo de quarenta mulheres empreendedoras de diferentes regiões, classes e áreas de atuação.

O grupo chegou a Brasília na véspera, todas ficaram hospedadas no mesmo hotel. Luiza aproveitou a ocasião para organizar uma reunião, assim poderiam se conhecer e "criar uma cola", como gosta de dizer. Foi uma daquelas sacadas instantâneas que a amiga Sônia Hess atribui à inteligência emocional de Luiza: "Não é nem emocional, é inteligência transcendental...". Sônia recorda o momento que iria mudar a vida de todas aquelas mulheres, e muitas e muitas mais: "Cada uma se apresentou, contou o que fazia da vida e o que queria destacar sobre sua realidade. A ideia funcionou muito bem, porque no dia seguinte estava tudo pontuado. A cola foi imediata".

Com Dilma, a conversa reproduziu o relato enxuto de cada uma. Mulheres com os mais diversos tipos de trabalho e obstáculos para manter suas famílias e atuar em comunidade opinaram sobre políticas públicas. Luiza Helena apresentou à Dilma, por exemplo, lideranças comunitárias da favela paulistana de Paraisópolis. As líderes da periferia narraram sua vida como chefes de família, aproveitaram a chance de estar frente a frente com um presidente.

"Conversar com a presidente e falar das nossas demandas e necessidades foi superimportante. Sentíamos que pela primeira vez se poderia abrir um diálogo sobre a realidade das mulheres e que uma iniciativa como aquela poderia ser replicada", conta Rejane Santos, empreendedora e uma das líderes da comunidade. "A lição pra mim foi que, tendo oportunidade, você pode acessar todos os espaços, e isso te ajuda a transformar sua realidade."

Encerrado o encontro, o programa incluía uma visita à exposição inaugurada naquele mesmo dia no Palácio do Planalto, com obras de Eliana Kertész, intitulada "Mulheres do Brasil". Ali, naquele fim de tarde, entre as esculturas de mulheres gordotas da artista plástica baiana, aquelas mulheres perceberam já terem criado elos – o início de uma corrente que iria ganhar um tamanho inimaginável. Decidiram seguir se encontrando, independentes de Brasília. Da mostra de arte, pegaram o nome. Iriam chamar-se "Grupo Mulheres do Brasil".

Luiza, presidente do grupo desde sua origem, fala com orgulho de tudo que floresceu daquela viagem: "Eu tinha que agir e não ficar só cobrando, dizendo 'por que os políticos não fazem?' Temos que saber ir além disso. No Mulheres do Brasil, a gente não nasceu prontinha, e não estamos prontas ainda. Mas sabemos o que não queremos: deixar de ser protagonistas".

LUIZA HELENA ENTRE AS MULHERES DO BRASIL, COMEMORAÇÃO DOS CINCO ANOS DO GRUPO, 2018.

CAPÍTULO 28:
AÇÃO E INCLUSÃO

As "fundadoras de Brasília", como se identificam, tinham um propósito claro: propor e encaminhar melhorias para o país, agindo de baixo para cima, a partir da sociedade civil, de maneira voluntária, em causas sociais, políticas e econômicas. Tinham, e ainda têm, a ambição de ir muito além da mera promoção de networking e influência. Ao se organizar, antes mesmo de agir, estabeleceram "regras de ouro" que, como no Magazine Luiza, foram chamadas de "inegociáveis":

1. Ficava vetado qualquer apoio, ou crítica, a figuras públicas e partidos políticos;
2. Pactuava-se não "reinventar a roda", isto é, que não era preciso criar novas estruturas a partir do zero; melhor seria aprimorar iniciativas já existentes;
3. Comprometiam-se a conectar pessoas dispostas e capazes de levar adiante projetos de transformação do país;

4. Como grupo exclusivamente feminino, ninguém se colocaria contra os homens, mas a favor das mulheres e de oportunidades iguais para todos.

Nos passos seguintes, definiu-se a maneira de atuar. Dividiram-se em comitês temáticos de cultura, educação, empreendedorismo, saúde e violência contra as mulheres. Foram erguidos núcleos regionais, o primeiro em Franca. Ainda foi criado um departamento de comunicação, um de expansão e um jurídico. A subsistência financeira se daria por meio de doações voluntárias das participantes e de eventuais patrocinadores para eventos específicos.

Hoje, início de 2022, já são mais de 100 mil Mulheres do Brasil, cada vez mais influentes e ambiciosas. Já fizeram e fazem muito. Entre os projetos de formação, um pilar estrutural do Grupo Mulheres do Brasil, estão programas de autoconhecimento e capacitação para empreender. E mais: uma cartilha digital de conscientização sobre o racismo estrutural, palestras sobre violência doméstica e ações de apoio a projetos de saúde nas escolas, onde há também um trabalho crescente para elevar os índices educacionais de crianças e adolescentes.

Outras iniciativas essenciais do grupo são as que apoiam mulheres em momentos de crise. É o caso do Fundo Dona de Mim, criado no início da crise sanitária, em 2020, para ajudar empreendedoras individuais a tocar pequenos negócios com acesso a microcréditos.

A pandemia do coronavírus fez-se um momento de grande exposição, o Mulheres do Brasil ganhou concretude, alcance e reconhecimento. Agindo em diversos níveis, no esforço de ajudar a atenuar a crise generalizada em que mergulhou o país, o grupo levantou uma campanha de valorização do Sistema Único de Saúde, o SUS. Não foi "modinha", Luiza Helena já estudava e defendia o SUS como caso exemplar no mundo no esforço de garantir a saúde como direito de todos e dever do Estado – como reza a Constituição. Essa atuação ganhou visibilidade decisiva na virada de 2020 para 2021, com o movimento Unidos pela Vacina. Mas essa história eu conto daqui a pouco, pois acompanhei de perto o "clique" que botou Luiza Helena em movimento. E quando ela se mexe, muito se mexe.

Projetos estruturais, ações práticas e forte capilaridade fizeram do Mulheres do Brasil a maior força política apartidária do Brasil no início da década de 2020. Sua influência na esfera da política tradicional é cada vez maior, com o amplo poder de diálogo e mobilização do grupo. Luiza comemora o alcance inesperado, ainda que desejado, de uma conversa que começou sem maiores pretensões numa viagem a Brasília e hoje é a casa de seu ambicioso papel como líder civil. Um processo que demonstra de maneira clara como se dá seu método "caórdico" – primeiro progride, depois ordena.

Por maior que seja a missão, ela diz que em nenhum momento teme errar ou receber críticas, afinal está transitando, em movimento, como sempre quis, desde o começo, mão na massa. "Quando você se expõe, tem que aprender que vai vir chumbo de um lado e de outro. Você não vai ser unanimidade", diz Luiza.

Algum tipo de justiça, não unanimidade, era o que buscava Luiza quando, em novembro de 2020, o Magazine lançou um programa de contratação exclusiva de *trainees* negros para cargos de gerência. Apesar de a iniciativa ter partido de seu filho Frederico, CEO da companhia, foi Luiza o alvo das críticas virulentas nas redes sociais. O programa foi acusado de racismo reverso. Nas buscas do Google à época, disparou a pergunta "racismo reverso existe?".

Em meio a reações pouco equilibradas, a Defensoria Pública da União chegou a abrir uma ação contra a empresa, no valor de 10 milhões de reais, sob a alegação de não promover a igualdade de oportunidades. A ação deu em nada.

"Eu nem sabia o que era racismo reverso. Sempre me preocupei muito com diversidade na empresa, até porque isso já era coisa da minha tia, que entrava nas lojas e questionava a ausência de negros, e isso há trinta anos. Mas confesso que demorei a entender o problema do Brasil, que é o racismo estrutural. Inclusive chorei quando me dei conta de como funciona", diz Luiza.

O programa específico de treinamento para gerentes negros não se deu de uma hora para outra, em reação a pressões do "politicamente correto". A dolorosa queda em si sobre a extensão do racismo à brasileira veio numa festa de seu aniversário, quando percebeu que, entre os convidados, não havia negros. A realidade arraigada de iniquidades e preconceitos, uma das consequências de mais de trezentos anos de escravidão, existia, sim, e a tocava de maneira frontal. "Sempre achei que eu não fosse racista, até que percebi que o racismo envolve todos nós. Decidi estudar o assunto a fundo e fiz um pacto comigo mesma de que iria lutar contra ele", diz Luiza.

Cumpriu sua palavra. Muito antes de Frederico Trajano lançar o programa de seleção de *trainees* só para candidatos negros, e imprensa e internet emitirem opiniões positivas e negativas a respeito, Luiza já combatia o racismo. Em seus círculos mais próximos, na empresa e no Grupo Mulheres do Brasil, promovia a diversidade étnica e de classe. Um de seus primeiros passos foi apoiar a lei de cotas para estudantes negros nas universidades públicas nacionais. Luiza crê nas cotas como "um processo transitório para acertar uma desigualdade. Por isso, sempre defendi". E continua defendendo, num momento em que a lei criada em 2012, com validade de dez anos, está para expirar.

Para renová-la, o professor José Vicente, militante do movimento negro e reitor da Faculdade Zumbi dos Palmares, instituição que ajudou a fundar em 2004, criou a campanha "Cota Sim" e pediu apoio a Luiza. "A gente precisava de uma madrinha e fomos bater, claro, na porta dela", explica José. Não é a primeira coisa que fazem juntos. "Conheci a Luiza em um evento empresarial sobre inclusão e cidadania. Pude dizer a ela que falar da inclusão de todas as pessoas é muito importante, mas que no caso do Brasil 'todos' nem sempre inclui os negros. E que por isso seria legal se ela frisasse esse aspecto em seu discurso. Ela me respondeu: 'Sabe que eu nunca tinha pensado nisso?'. E de fato me escutou... Passamos a conversar sempre", conta Zé Vicente. Ele passou a dialogar, dentro do Magazine, com colaboradores de todas as camadas da empresa sobre diversidade, inclusão e discriminação.

Luiza iniciou a prática de pesquisas internas periódicas na empresa e foi amadurecendo a ideia de lançar um programa de *trainees* específico para negros. "Disse a ela que tinha que haver negros no comando. Sem isso, nada jamais ia mudar. Até que aconteceu", celebra José Vicente. O mesmo sucedeu no Mulheres do Brasil, onde os conselhos ouvidos por Luiza Helena têm ressonância – um núcleo de mulheres negras foi criado e passou a atuar nas diversas frentes do movimento.

No século XXI, o racismo passou de tema escamoteado a objeto de debate aberto na sociedade brasileira. Transformações demográficas e de mentalidade colaboram para isso. O assassinato de George Floyd, negro asfixiado por um policial branco, em Minneapolis (EUA), em maio de 2020, provocou manifestações em todo o mundo. Foi mais um impulso na criação de novos métodos de inclusão, como no caso do Magazine Luiza.

"Depois de Floyd, não tinha como você não se manifestar e não se posicionar. No Magazine Luiza, eles entenderam que era a hora de subir a régua, não a deixar lá embaixo, para, de uma vez por todas, encarar a questão do racismo. Chega de estágio e de cesta básica. A pergunta passou a ser: o que, daqui para cima, você tem para oferecer? Era a hora de mexer nas lideranças", afirma José Vicente.

A transformação estrutural tinha começado no ambiente público, movida a leis, e chegou ao setor privado, inspirando uma nova geração de medidas afirmativas no universo do trabalho. Esperando que mais empresários se pronunciem a respeito, José Vicente festeja que os primeiros gestos tenham partido de Luiza Helena: "Ela é a única grande líder empresarial no Brasil hoje que fala em alto e bom som: 'Somos racistas, sim. Precisamos ser antirracistas'". Luiza não se vangloria, ao contrário, acredita que essa realidade já está dada, porque "quando o mercado financeiro abraça é que a coisa acontece. A empresa que não entender diversidade não vai sobreviver. Agora é ouvir, sintetizar e pôr para rodar rapidinho".

Para o mercado abraçar, não basta o imperativo moral, o pragmatismo se impõe. Afinal, é realista abrir vagas de direção para negros? Há quantidade suficiente de profissionais qualificados para tal fim? Sim e sim, muitas vezes sim é a resposta para essas perguntas.

Assistindo aos vídeos das entrevistas de seleção, Frederico Trajano testemunhou a qualidade dos candidatos. Luiza afirma que será Fred a abrir espaço para os negros. Ela conta que, numa avaliação técnica, fria, das capacidades dos candidatos afrodescendentes, seu filho ficou mais que bem impressionado. Fred confirma: "Eles têm um nível muito mais alto do que eu esperava. E recebem, em média, um salário de 10% do que merecem. Às vezes, eu tinha que desligar o vídeo, fiquei muito emocionado".

Luiza Helena diz que Fred atestou a média excelente da formação, que se surpreendeu com o "nível profissional das pessoas, intelectual e emocional. Todos de escola federal, com um nível de dicção, de português, de tudo, muito alto. E não tinham oportunidades".

Para Luiza Helena, o que ela fez pela emancipação das mulheres no mercado de trabalho, Fred vai fazer pelos negros.

ABRIR-SE PARA O MUNDO

A FAMÍLIA TRAJANO CELEBRA A ABERTURA DE CAPITAL DO MAGAZINE LUIZA EM 2011, BOLSA DE VALORES DE SÃO PAULO.

Na fotografia, só tia Luiza não exibe um sorriso escancarado. Não que esteja contida, é visível seu orgulho, porém parece mais concentrada no momento e no gesto. Gesto histórico, as mãos sobrepostas da família a apertar juntas o botão que abria para venda as ações do Magazine Luiza. Tia Luiza é a única olhando para as mãos que cobrem a tecla que tornava real o IPO (em inglês, Oferta Pública Inicial). Talvez tenha lhe vindo a lembrança de suas mãos, cinquenta e quatro anos antes, abrindo as portas de uma nova lojinha, na interiorana cidade de Franca. Talvez quisesse apenas fazer aquilo direito, como sempre se esmerou em fazer o que tinha de ser feito. Talvez fosse a solenidade do instante, talvez a vontade de não esquecer.

A mão direita de tia Luiza está sob a mão de seu sobrinho Wagner, braço projetado sobre o ombro dela para completar a pilha de dedos, como na brincadeira que toda família conhece. Wagner sorri largo, os olhos brilham. Debaixo da mão de tia Luiza está a de seu marido, Pelegrino, também sorrindo aberto.

Sob todas as mãos está a de Luiza Helena. Seus olhos não se veem, estão apertados de alegria, espremidinhos pelo sorrisão.

No canto oposto da imagem, o CEO Marcelo Silva está radiante. À frente dele, o irmão de tia Luiza, Onofre Trajano, aplaude, feliz.

No fundo, o mais alto e mais jovem da ocasião é a cara da alegria. Em segundo plano, parece coadjuvante na cena, uma aparência enganosa. É o protagonista. Quatro anos ainda se passariam até Frederico Trajano assumir o comando do Magalu. Mas, aos olhos de hoje, a foto daquele 21 de fevereiro de 2011, a abertura de capital do Magazine Luiza, pode ser vista como marco simbólico da sucessão de Luiza Helena.

Frederico, ao fundo da imagem, poderia bem estar pensando: Parabéns, família, obrigado por tudo, vocês foram incríveis. Agora, pode deixar comigo.

ABERTURA DE CAPITAL NA BOLSA, 2011.

CAPÍTULO 29:
SUCESSÃO 1: AUTORIDADE NÃO SE HERDA

A pior coisa das empresas familiares é a sucessão. Se isso já é difícil em qualquer organização, nas firmas de família é pior, pois envolve aspectos biológicos além dos institucionais e dispara cargas de emoções. Negócios familiares que restringem a escolha dos herdeiros aos filhos podem acabar com burros no poder. Sobretudo, a riqueza corrompe um princípio tão consagrado que gerou provérbios em várias línguas. Em inglês, 'de tamancos a tamancos em três gerações'; em italiano, 'de estábulos a estrelas a estábulos'; em japonês 'a terceira geração arruína a casa'; e em chinês 'a riqueza não sobrevive a três gerações'.

Revista *The Economist*, relatório especial
sobre empresas familiares, 16 de abril de 2015

Quatro anos depois de ter chegado ao mercado de ações valendo 3 bilhões de reais, o Magazine Luiza foi atingido em cheio pela combinação devastadora de grave crise econômica com crise política terminal. Frederico Trajano repassa a ciclotimia brasileira de então: "Vínhamos de um 2014 excepcional, havíamos patrocinado a transmissão da Copa do Mundo, o e-commerce tinha crescido em 36% e estávamos animados. De repente, uma presidente que estava desgastada no cenário político ganha a eleição e continua no cargo, o que fez com que a economia desacelerasse de maneira brusca. Brinco que aterrissamos o avião sem trem de pouso, nenhuma empresa estava preparada para isso".

Em 2015, o valor de mercado do Magazine tinha caído quase vinte vezes, para 174 milhões e 200 mil reais. Especuladores e operadores financeiros davam como inevitável que a empresa teria que fechar, que ia quebrar. Frente à derrocada, vários investidores e parceiros do Magazine apontavam uma saída, segundo a maioria, óbvia e redentora. Era senso comum entre os analistas de mercado, unanimidade, no Brasil e fora, que as transformações trazidas pelo universo digital exigiam a criação estanque de novas organizações a partir das preexistentes.

Em meio a essas pressões, Luiza Helena foi jantar com um potentado das finanças, sujeito tão poderoso e tão importante para a empresa que tem seu nome mantido em segredo até hoje. Esse maioral reforçou, de maneira enfática, o que dezenas de entendidos vinham propondo: que o Magazine fosse dividido em dois. A solução passaria por criar uma nova empresa, despegada das lojas físicas. Ao abrir uma nova companhia de e-commerce, um Magalu exclusivamente digital, a captação imediata seria de três bilhões de reais. Soava como a redenção, Luiza quase parecia convencida.

No dia seguinte, tomada por essa ideia, ela procurou seu diretor de vendas. No podcast *Do zero ao topo*, Luiza Helena reproduziu para a jornalista Letícia Toledo o diálogo que se seguiu. Ao ouvir que o figurão tinha aconselhado a divisão da empresa, seu diretor foi radical: "Ele se virou pra mim e falou: 'Se separar, eu saio da empresa no outro dia. Eu não acredito nisso'. Era uma convicção tão grande que ele tinha, que era um corpo só, mesmo quando a gente estava no pior momento, que ele bancou... Porque essa pessoa que deu esse conselho era muito forte... 'Se separar, eu vou sair. Eu não acredito.' Intuitivamente, eu sabia que não era legal. Ainda mais ele falando, porque ele tem muita consistência. Repetia: 'Um corpo só'".

O nome do diretor tão convicto de sua posição contra tudo e toda corrente? Frederico Trajano. Ele também se abriu para Letícia Toledo: "Eu me lembro muito bem. Até porque essa pessoa, a gente não vai abrir quem é, tem um peso enorme. É de grande relevância para a companhia, e não era a única. Muita gente pressionava – consultores, banqueiros, investidores – pra fazer o *spin off* e separar. Mas minha convicção era muito grande, e o modelo já estava funcionando. As pessoas só não davam valor ao fato de ele estar funcionando. Eu não acreditava em outro modelo que não aquele. Se separar fosse a decisão do conselho, eu ia pedir demissão e ia trabalhar em outro lugar ou encontrar outro projeto".

Apesar de isolado, Fred tinha autoridade para se antepor à maré contrária. Contava já catorze anos na empresa e, antes disso, como vimos, estudara, em profundidade, a evolução do comércio digital, em todos seus formatos. Hoje sabemos, o herdeiro estava coberto de razão. Mas, à época, a crise seguiu castigando o Magazine, como narra Fred: "O Magazine ficou numa situação de endividamento e teve que fazer uma lição de casa dura, com redução de funcionários, ajustes de caixa, redução de despesas e outros custos".

Frederico e o então CEO, Marcelo Silva, adaptaram a empresa aos tempos difíceis, mantiveram-se firmes ao leme. Conseguiram passar pelo pior, levaram a empresa adiante. E mais que isso, foi debaixo dessa tempestade que se cumpriu o processo de sucessão no comando do Magazine.

> **Pedro** – *Com o capital aberto, fica-se exposto…*
> **Fred** – *Que nem você andar na rua sem roupa, se você está mais gordinho… Exposto, você não consegue conter suas instabilidades. Não é uma crise, nem nada. Foi um momento no qual a companhia teve um ano de prejuízo, como várias empresas. Foi o pior momento das ações, mas não foi o pior momento do Magazine. O ano 2015 foi justamente quando eu fui nomeado, estava muito confiante e tinha muita certeza de que a gente ia provar para o mercado que o Magazine tinha um futuro brilhante pela frente. Nos últimos cinco anos nós fomos a ação que melhor performou do mundo.*

SUCESSÃO 1: AUTORIDADE NÃO SE HERDA

■ ■ ■

Quando encasquetou de trazer Marcelo Silva para ocupar o lugar dela mesma na liderança da empresa, Luiza Helena estava projetando vários lances adiante.

Para começar, claro que nossa líder já planejava a própria saída. Além de, na intimidade, ainda não ter se apaziguado com a ideia de partir, tinha consciência de que uma transmissão direta de poder de mãe para filho seria interpretada pelo mercado como algo pouco profissional, cacoete de dinastia. Também é evidente que Luiza buscara Marcelo Silva por reconhecer a qualidade excepcional do profissional, sua credibilidade, por saber que era o homem talhado para preparar o Magazine para a abertura de capital. Mas o que Luiza também sabia muito bem era sobre um conhecimento específico dele, raro no mercado. Além de sensibilidade e gosto genuíno por gente, Marcelo Silva conhecia meandros e singularidades das empresas familiares. Ele é um estudioso do assunto, em seu livro *Empresas familiares – da fundação à perpetuidade. Histórias, reflexões e princípios: caminhos para um processo de sucessão*, Marcelo fala do *case* Luiza-Fred:

"Quando iniciei minha jornada no Magazine, em 2009, já se comentava que Frederico seria o sucessor natural de Luiza. Essa transferência de poderes, no entanto, precisaria ser bem avaliada. Herdar um DNA nobre não credencia ninguém ao governo. […] Ao buscar conhecer a fundo a estrutura do Magazine Luiza, encontrei em Frederico um importante pilar do processo de fortalecimento da empresa. Dominava perfeitamente as técnicas de gestão, era dotado de uma integridade inquestionável e havia herdado de Luiza Helena a ponderação, o espírito inventivo e o amor ao trabalho. Percebi também que não estava ali por obrigação, servindo aos desígnios da família. Atuava na empresa porque sentia prazer em contribuir na construção daquele belo sonho familiar. Tinha, portanto, todos os atributos para se tornar um excelente CEO."

Se a gestão Marcelo Silva já sinalizara ao mercado, ao público externo, que a sucessão no Magazine seria ditada por critérios profissionais, restava o mais delicado: o público interno. E por público interno entenda-se não só o núcleo familiar Trajano, mas também a família estendida de quase 40 mil funcionários.

Mesmo Luiza Helena hoje reconhece que temia que seu filho não tivesse a mesma sensibilidade social dela. Ao crescer na empresa, indicando que sucederia a mãe, Fred pôs medo em muita gente. Identificavam-no com as novas tecnologias digitais, temiam que ele chegasse trocando pessoas por máquinas. Luiza, sempre ligada às bases, ao que chama de a "ponta", lembra quando Fred entrou em sua sala e ela, sem tê-lo prevenido, o botou para conversar com vendedores, aflitos com a mudança de comando e o que os esperava a partir de então.

"Eu tinha perguntado a eles como estavam se sentindo de o Fred assumir. Aí ele apareceu na sala, eu disse: 'Frederico, esses vendedores vão falar pra você o que eles estão sentindo'. Disseram que sabiam que ele era inteligente e tinha se preparado, mas tinham medo de ele só

SUCESSÃO 1: AUTORIDADE NÃO SE HERDA

cuidar do digital. Fred respondeu: 'Se precisar tirar um caixa, vou tirar, mas eu não vou tirar a pessoa do caixa'. Eles entenderam que Fred manteria nosso propósito."

■ ■ ■

Para além de garantias objetivas e análises técnicas, na quebradiça dinâmica da sucessão em família, além de engenho, carece de se ter arte. Aquele mosaico geracional não se resumia a mãe e filho mais o coringa Marcelo.

A questão que mais afligia Luiza era o sobrinho Fabrício, filho de seu primo Wagner. Fabrício cresceu e se criou no Magazine, assim como Frederico. Foram companheiros de infância e juventude, fosse trabalhando na loja ou brincando no rancho. O pai de Fabrício padecia de alcoolismo, seus filhos se ressentiam de suas ausências. Luiza Helena procurava compensar essa carência, sempre se empenhou em cuidar dos sobrinhos. Wagner morreu cedo, aos 60 anos, legando ao filho Fabrício uma grande participação acionária na empresa. Mas, não era só com o poder de acionista dele que Luiza Helena se preocupava. Luiza Helena queria estabelecer os pilares de uma convivência harmoniosa e produtiva entre Fabrício e Fred. Fosse quem fosse seu sucessor.

Pode-se dizer que todos na empresa acreditavam que o mais habilitado para assumir o comando era mesmo Fred – inclusive o próprio Fabrício. Mas tal admissão racional não parecia o suficiente para Luiza Helena. Para ela, a decisão de aceitar e legitimar a nova liderança não deveria ser imposta de fora, por melhores os argumentos. Teria de advir de uma convicção amadurecida de maneira profunda, refletida.

Encarregado de operação tão cercada de subjetividades, Marcelo Silva percebeu que sua biografia de executivo ali chegava também a um ponto de inflexão. Antes de buscar profissionais que cuidassem da psicologia da relação entre Fred e Fabrício e suas complexidades pessoais, Marcelo procurou ajuda ele mesmo. Contratou o coach Marcelo Williams, argentino, recém-aposentado da Unilever.

Começava o psicodrama da sucessão.

**FABRÍCIO E FRED,
A TERCEIRA GERAÇÃO.**

CAPÍTULO 30:
SUCESSÃO 2: "LAÇOS DE FAMÍLIA" OU "A SUCEDIDA"

"A sucessão está pronta quando o sucedido está pronto."
Luiz Carlos Cabrera, coach de executivos

Negócios de famílias representam 90% das empresas do mundo. É verdade que muitas são comércios modestos, lojinhas de esquina. Vamos considerar as grandes companhias, aquelas em que parte significativa das ações pertence a famílias, e essas têm poder de decisão, em especial para a escolha de CEOs: nos Estados Unidos, são 33% das companhias, na França e Alemanha, 40% daquelas com mais de um bilhão de dólares de faturamento anual. Na Ásia, as empresas familiares são mais de 55% entre as maiores, no Brasil, giram em torno de 45%.

SUCESSÃO 2: "LAÇOS DE FAMÍLIA" OU "A SUCEDIDA"

A questão continua sendo quanto tempo dura, em quantas gerações se perde, quantas sucessões aguenta uma empresa familiar. Segundo estatísticas do Instituto de Negócios de Família dos Estados Unidos, só 30% das empresas familiares passam para a segunda geração; apenas 12% para a terceira geração; e 3% para uma quarta e adiante.

Frederico Trajano é a terceira geração do Magazine Luiza. Vista em retrospecto, a transferência de comando da primeira geração, tia Luiza, para a segunda, Luiza Helena, parece ter sido mais simples. Talvez tenha sido, até pelo tamanho do negócio à época. Mas como não houve preparação para o furacão da nova liderança, quando Luiza Helena chegou botando paredes abaixo, causou forte reação.

Na passagem de bastão para Frederico, ficou patente o cuidado de Luiza Helena em se antecipar a possíveis resistências. Inclusive por parte dela mesma – que intuía tratar-se de um processo que iria exigir coragem de todos os envolvidos – a coragem de empreender uma jornada de autoconhecimento. Luiza sabia que, numa sucessão, nada vai adiante se não existe o desejo real, não de suceder, mas de ser sucedido.

Seria preciso viver um psicodrama corporativo. Seus personagens:

Marcelo Silva e seu coach Marcelo Williams.

Frederico Trajano e seu coach Luiz Carlos Cabrera.

Fabrício Garcia e sua coach Vicky Bloch.

Tudo girando em torno do planeta – ou seria cometa? – Luiza Helena.

Cabrera – *Luiza pedia o tempo todo pela harmonia familiar e respeito, dizia que só iria completar o processo sucessório se o Fabrício aceitasse e se tornasse um grande parceiro.*
Vicky – *Luiza foi Luiza. Nesse processo, pensou em todos os públicos, na família, na tia, nos filhos, no sobrinho, nos funcionários, não deixou de conversar com ninguém. Ela legitimou o processo, mas sem deixar de admitir que estava sofrendo.*
Fabrício – *Luiza é como se fosse minha segunda mãe, me ajudou muito em vários momentos da minha vida. Peguei muita orientação com ela, pessoal e profissional. Sempre tivemos um relacionamento muito legal. O respeito que as pessoas têm por mim no Magalu devo ao que aprendi com ela. E aí, na hora de virar sócio, é difícil. Trabalhei muito isso com a minha coach. A nossa relação amadureceu demais, mas no começo foi um baque mesmo. Agora eu sinto que ela me respeita demais também, sabe?*
Vicky – *Luiza sabia que um dia teria que fazer a sucessão. Percebeu que ela e o filho... não ia dar certo. Ela educou os filhos para desafiá-la. Ela se sentava na mesa do almoço e queria ser desafiada pelos filhos e desafiá-los. Bom, isto dentro da empresa não ia funcionar.*
Fred – *Todo mundo fala que ela me preparou para assumir. Não é verdade. Eu acho que é me desmerecer. Como se eu fosse uma marionete. Não, a carreira é minha, as escolhas são minhas, todas elas ao longo de todo o processo da vida. Preparar o outro é meio rei com príncipe,*

SUCESSÃO 2: "LAÇOS DE FAMÍLIA" OU "A SUCEDIDA"

acho que é uma coisa meio aristocrática, não dá certo. Você tem que fazer as suas escolhas. Você tem que tomar as suas decisões de carreira, ninguém pode fazer isso por você.
Luiza – *Nunca falei para o Frederico trabalhar na empresa. Nunca pedi a ele que fosse presidente. Nunca disse nem para ele ganhar dinheiro. Mas foi interessante quando ele deu esses passos. Ele é muito diferente de mim, se prepara profundamente para tudo.*

Luiza Helena tinha se surpreendido e alegrado ao receber a ligação do filho, com 24 anos, dizendo que gostaria de voltar para Franca e assumir um cargo na empresa da família. Cinco anos antes, ainda cursando Administração pela Fundação Getulio Vargas (FGV), Fred tinha ido para Berkeley, na Califórnia, fazer um curso de extensão em finanças. Concluída a FGV, pós-graduou-se no programa de executivos da Universidade Stanford. "Eles são o berço da revolução digital no mundo, e para mim essa agenda sempre foi muito importante", diz Fred.

Cabrera – *Aí entra o lado diferente do Fred. Em vez de disputar com as pessoas do Magazine, no conceito de varejo tradicional de comprar bem e vender melhor, ele começou a estudar o que seria o varejo eletrônico, a transformação digital. Antecipou-se ao modelo e ocupou uma área onde não tinha concorrentes. Foi muito inteligente. Abriu espaço para que tivesse um nome próprio e não fosse apenas o filho da Luiza.*
Fabrício – *O Magazine sempre esteve presente na nossa vida. Quando eu nasci, meu pai já trabalhava na empresa e quando ele faleceu, eu já trabalhava. Enfim, eu cresci dentro do Magazine.*

Desde os 16 anos, Fabrício trabalhou como vendedor. Formou-se em administração, em Franca, estudava à noite. Começou como auxiliar de compras, depois comprador, gerente, diretor, diretor executivo. Em 2015, ano da sucessão, Fabrício era diretor executivo Comercial e Fred diretor executivo de Operações.

Marcelo – *Fabrício tinha o mesmo patamar do Fred e, ainda por cima, é um acionista forte, o pai dele tinha a mesma quantidade de ações da Luiza Helena. Fabrício é um cara forte, também se criou no Magazine Luiza.*
Vicky – *Entre Fred e Fabrício, ficou muito claro o que cada um podia fazer. Isto é fundamental, reconhecer onde cada um pode contribuir. Outra coisa importante nesse processo é que o Fabrício não tinha dúvida de que o Fred era melhor. Não existia um problema de conflito. A grande questão do Fabrício era se ele ia conseguir trabalhar com o Fred numa outra posição.*
Cabrera – *O Fred trazia uma frase da tia Luiza: fazer do Magazine uma empresa centenária. Fred e Fabrício conversavam sobre o futuro, a organização, como seria tratado o capital da empresa... Depois, cada um conversava com o seu coach. Para o Fabrício isso tudo era também o resgate da autoestima dele. Ele tem garra, sensibilidade, é um cara competente, mas não tem a formação acadêmica do primo. Fabrício precisava acreditar mais em si, o trabalho de resgatar a autoestima foi importante.*
Luiza – *Depois de seis meses, o Frederico sentou comigo, na companhia do professor Cabrera, o Fabrício, que se sentou com a Vicky, e o Marcelo. Fabrício virou para mim*

e disse: "Tia, estou preparado para que o Frederico seja o presidente".

Luiza Helena ficou tão aliviada que no dia seguinte foi a Aparecida do Norte, agradecer a graça alcançada.

Luiza – *Conforme eu já disse, mesmo tendo o poder de impor a minha vontade, eu fiquei feliz de ouvir o que realmente queria escutar. Em sucessão, quando um irmão briga, é melhor esquecer, não tem remédio, pelo menos que eu conheça.*
Vicky – *Fabrício foi tranquilo. Ele podia ter desistido e, como acionista, teria uma cadeira no conselho. Mas ele também cresceu com este processo. Com isto, pôde fazer o MBA dele nos Estados Unidos. Quando retornou, Fabrício se sentia uma outra pessoa, bem melhor. Ele pôde ocupar um espaço novo dentro do Magazine.*
Fabrício – *Fred passou a ser meu chefe, numa transição muito bem-feita. Agora, eu virei vice-presidente de Operações. Respondo por expansão. Logística engloba tudo e tem on-line e off-line. A operação é toda comigo e, na verdade, virei COO (Chief Operating Officer – diretor- -operacional). Foi natural Fred ser escolhido, não passava pela minha cabeça. Mas tivemos que amadurecer muito o relacionamento. Combinamos que faríamos juntos o Magalu comemorar 100 anos.*

CAPÍTULO 31:
FRED TEM UM JEITO...

"Dizem que do Pelé não nasce outro Pelé, no caso da Luiza, sim."

Marcelo Silva, sobre Frederico Trajano, que sucedeu a mãe no comando da empresa

Fred tem um jeito... Anda leve, não tem pompa, é zero marrento. Sério pra chuchu, não é sisudo. Tem o jeito de acolher as pessoas com atenção como sua mãe, mas parece mais relaxado. Como ela, pensa rápido, mas diferente dela, não pensa alto.

"Muitas coisas que saem da boca da minha mãe, se saíssem da minha poderiam ser mal interpretadas. Não estou falando para tirar o mérito dela, mas para dizer que o pacote ajuda, ela é uma pessoa carismática, tem uma imagem muito positiva, fruto do seu sucesso. Ela tem alguma 'licença para falar' que eu não sei se teria", diz Fred.

É bonito ver os dois juntos na firma. Os olhos de Luiza Helena denunciam a paixão que tem pelo filho. Ele a admira demais, mas aprendeu direitinho a não mitificar, tem amor com humor. Compartilham valores, mas quando Fred fala deles, parecem novos:

"Se você olha os negócios que duraram muitos anos, eles foram os que se reinventaram constantemente. Como dizia Darwin, as espécies que perduram são aquelas que melhor se adaptam às mudanças. Somos uma empresa que não tem dificuldade de mudar. A gente não muda propósito, princípios e valores. Mas modelo de negócios, pensar fora da caixa, errar e aprender... enfim, se questionar sempre. A empresa passou por vários ciclos. Hoje está totalmente digital, conseguiu se reinventar nesse contexto."

Quando Fred conseguiu seu primeiro estágio, numa empresa que nada tinha a ver com o negócio familiar, sua mãe lhe escreveu uma carta:

Franca, 18 de março de 1996.
Meu filho querido,
É muito bom para nós, pais, quando sentimos e presenciamos a evolução e os ciclos dos nossos filhos. Principalmente, quando esses ciclos são conquistados com determinação, esforço e, acima de tudo, com muito amor.

Hoje, você está iniciando mais uma etapa da sua vida, e eu gostaria de deixar registrada minha satisfação. Como mãe, não poderiam faltar algumas orientações:

– *Acredite em você mesmo e na sua fé no Absoluto.*
– *Procure não mitificar coisas, nem pessoas.*
– *Não abra mão por nada da sua ética, moral e crença na evolução do homem.*
– *Saiba que tem uma missão. Descubra-a e lute por ela.*
– *Tenha tempo para tudo. Por isso se organize, crie ritmo e rotina.*
– *Tenha paixão pelo que faz, pois só assim fará melhor e mais fácil.*
– *Seja sempre você mesmo. Nunca omita a verdade. A transparência é importantíssima neste momento.*
Que as forças divinas estejam sempre com você, dando-lhe sabedoria, autoridade e justiça.

Beijos,
Luiza Helena

Fred também sabe escrever, gosta de escrever, curte jornalismo, adora política. "Todos esses 'ismos', comunismo, trotskismo, conservadorismo, é um pouco religião. É quase religião. Você fica tão cego aos dogmas que não pensa com pragmatismo ou acaba não podendo pegar conselhos e ideias do outro universo. Um pouco de sincretismo religioso poderia funcionar aqui também para esse mundo das ideologias políticas porque há boas ideias nos dois campos", diz ele.

Além de bem-formado, Frederico é bem-informado. Leitor de notícias voraz, lê com disciplina os principais jornais do Brasil e do exterior. Como sua mãe, diante de críticas que faz à mídia, que considera muito analógica ainda, tomou providências. Em abril de 2021, tornou-se sócio, com 25% de participação acionária, do *Poder360*, site de notícias do jornalista Fernando Rodrigues. Deve ser só o começo de sua atuação na área, considera que há espaço e demanda para o jornalismo local no ambiente digital. Vê oportunidades de negócio, de lucro, no processo de digitalização do jornalismo. Diz que o algoritmo do Google não enxerga a influência e o poder da mídia, que o algoritmo não é inteligente para qualificar audiência.

"Eu acho que o empresário, e minha mãe sempre foi empresária, é pragmático, uma pessoa que precisa resolver problemas. Ela nunca foi uma pessoa muito conceitual. Quem faz acontecer e coloca em prática é menos suscetível a entrar em armadilha ideológica. A minha mãe nunca entrou em armadilha ideológica. Ela não é nem de esquerda, nem de direita – embora ela seja muito mais progressista do que conservadora, não tenho nenhuma dúvida. Ela é pragmática, gosta de fazer acontecer, de pôr em prática. Isso gera menos ruído, hoje não vejo ela incomodando. Ela nunca foi do contra, não é uma revolucionária, no sentido 'sou contra quem está no poder' – ela é muito mais do 'o que eu posso fazer, como podemos fazer?'."

Com tanto gosto pela coisa, será que um dia Frederico Trajano vai entrar na política institucional? Na faculdade, balançou entre fazer o curso de Administração Pública ou Privada. "Eu tinha um sonho, mas acabei fazendo a privada, entendi ao longo do curso que você pode ter um impacto grande na sociedade através de uma empresa privada. Sinto-me realizado hoje na companhia porque sei que, além de ajudar os acionistas, estou contribuindo para os consumidores, para a sociedade em geral, gerando emprego."

Na hora de entender o seu papel social como empresário, ajuda a Fred olhar para a história da família e perceber um padrão de continuidade e aperfeiçoamento. "Franca é a cidade do calçado. Minha tia vendia para o exportador e para a costureira do sapato a mesma tevê que o dono da fábrica tinha. Gerava acesso, em prestações etc. Minha mãe vendeu a primeira máquina de lavar para muitas casas brasileiras, foi o boom da linha branca. Agora, eu estou nesta fase de gerar inclusão digital, levar ao acesso de muitos o que era privilégio de poucos. Minha missão aqui é digitalizar o Brasil. Essa minha vontade de atuação política, talvez não plenamente, mas significativamente, está estendida aqui pela minha função. A empresa tem mais de 30 milhões de clientes, 40 mil funcionários, milhares de acionistas. É uma empresa que tem impacto e isso é só o começo do que a gente pode fazer."

Luiz Carlos Cabrera destaca uma peculiaridade do Magazine: "É uma empresa matriarcal, diferente de outras empresas que têm patriarcas. Uma empresa onde os sentimentos são tratados de maneira mais aberta. Quando uma empresa é mais masculina, os sentimentos são mais escondidos, mais controlados".

"Não é um peso, mas um privilégio. Herdei o comando de uma empresa muito mais humana", completa

FRED TEM UM JEITO...

Fred. Quando ele assumiu o comando da empresa, Luiza Helena escreveu-lhe uma nova carta:

São Paulo, 15 de novembro de 2015.
Meu filho querido,

Há quase vinte anos, nesse mesmo tipo de papel, escrevi a você uma carta onde te dava alguns conselhos, pois você ia assumir seu primeiro desafio profissional.

Hoje, meu filho, você está prestes a ter um dos maiores cargos da empresa e do mercado. Não quero te passar recomendação, mas falar da certeza que tenho da sua capacidade de fazer, de ser e de liderar. Da certeza que tenho que o Magazine Luiza não teria nenhum profissional tão sério e preparado como você para comandá-lo. Da certeza que tenho que daremos um salto muito grande na sua administração. Da certeza que tenho de que o seu lado humano e justo jamais falhará. Da certeza que tenho que o poder e o dinheiro jamais subirão em você. Da certeza de que você será sempre você mesmo, sem abrir mão da verdade, da transparência e do confronto construtivo.

Por tudo isso, só tenho que agradecer às forças do Absoluto por ter um filho que se saiu muito melhor do que qualquer sonho ou projeção que poderíamos ter tido. De poder ver o Magazine Luiza, que tanto amo, nas mãos do jovem mais preparado do mercado.

Peço a Deus que lhe dê muita saúde e muita fé. Saiba que estarei sempre a seu lado.

Com muito amor e gratidão,

Luiza

1. MAGAZINE, FINAL DA DÉCADA DE 1950.
2. LOJA UM, INÍCIO DOS ANOS 1980.
3. FRED, 2 ANOS, NA LOJA DA FAMÍLIA.

CAPÍTULO 32:
UMA MULHER EM 100 MIL

Num mundo de negócios ainda dominado por homens, a brasileira Luiza Trajano conseguiu transformar o Magazine Luiza, que começou como uma loja única em 1957, num gigante do varejo com dezenas de bilhões de dólares. É uma grande conquista – uma entre muitas.

Quando a covid-19 chegou ao Brasil, matando mais de 580 mil brasileiros e causando uma recessão, o Magazine Luiza ajudou as pequenas empresas a se adaptarem ao comércio digital, fornecendo uma plataforma para vender e entregar seus produtos. Num momento em que o governo federal brasileiro minimizava o risco que a pandemia representava, Luiza falou com coragem sobre a urgência da vacinação. Ela também advogou em voz alta pela igualdade, criando o Mulheres do Brasil, um grupo apartidário de mais de 95 mil mulheres que trabalham para construir uma sociedade melhor e apoiar as vítimas de violência doméstica. E, no final de 2020, num esforço para promover a inclusão dentro do Magazine Luiza, ela lançou um programa de trainees que oferece oportunidades para os afro-brasileiros.

Em um mundo onde bilionários queimam fortunas em aventuras espaciais e iates, Luiza se dedica a um tipo diferente de odisseia. Ela assumiu o desafio de construir um gigante comercial e ao mesmo tempo construir um Brasil melhor.

Luís Inácio Lula da Silva – texto para a revista *Time*, edição das pessoas mais influentes do mundo em 2021

No dia 15 de setembro de 2021, meu telefone tocou cedo. Quando o assunto é importante, ela não manda zap, liga direto. "É pra já!"

Quinze dias antes, tinha me telefonado para dar a maravilhosa notícia, mal disfarçando a felicidade (que sempre tenta disfarçar), de sua escolha pela revista *Time* como uma das pessoas mais influentes do mundo. A edição especial afinal saíra e ela era o único nome brasileiro na lista. Mas se duas semanas antes ela dissimulava sua alegria, agora Luiza Helena Trajano não escondia sua aflição: "Pedro, saiu a lista da *Time*. Adivinha quem escreveu o texto sobre mim? É uma figura grande".

Arrisquei uma mulher: Fernanda Montenegro?

"Lula. Escreveu que eu não gasto dinheiro com foguetes e iates. Não tenho nada contra quem gasta. Nem tenho nada contra o Lula, mas agora vão de novo me associar a ele e ao PT. Vou antecipar meu anúncio de que não serei candidata a nada…"

É a história da vida de Luiza: desejo e determinação de usar a política para mudar a realidade, com equivalente recusa a qualquer envolvimento partidário ou inserção na política institucional. Equilíbrio trabalhoso.

Desde o choque da pandemia do coronavírus, quando os brasileiros, como qualquer povo em tempos de guerra, estavam prontos a se mobilizar em torno de uma liderança, e não encontraram tal líder, a pressão sobre Luiza Helena exacerbou-se. Seu nome saltou das páginas de negócios para o noticiário político. Como se "só" faltasse partido e a definição do que seria, cabeça ou vice, numa chapa presidencial. Luciano Huck a chamou para sair vice-presidente em sua candidatura, entre tantos outros convites e redes de sedução. Claro que Luiza Helena balançou, certo que considerou, mais uma vez, se era chegada a hora de contribuir para a nação em alto cargo público.

Durante a pandemia, amigos e parentes temeram que, daquela vez, Luiza Helena cedesse ao chamado da política. Todos sabiam dos riscos envolvidos para a instituição Magazine e para a mulher Luiza. O admirador e amigo Marcelo Silva disse, quase sussurrando: "Seria muito bom para o Brasil ela ser presidente da República. Se olhar para ela, eu não quero esse mal para ela. Se olhar o Magazine, não quero esse mal para ele. Mas se eu olhar para o Brasil, que é maior do que tudo, eu vou olhar para o Brasil. Entre Brasil, Magazine e ela, acho que o Brasil prevalece sobre qualquer pessoa".

Políticos têm respeito quase reverencial por Luiza Helena, sabem que é melhor estar do lado dela. O governador de São Paulo, João Doria, diz: "Se a Luiza Trajano não fosse uma mulher, seria um vulcão, porque ela é vulcão em forma de mulher, está permanentemente em erupção".

Michel Temer, já presidente, atendeu ao convite dela e foi ao IDV. Luiza o recebeu: "Agradeço por atender a meu convite". Temer respondeu: "Sou doido de não atender um convite da senhora?".

Nos debates da campanha de 2018, só dois candidatos não foram conversar com o Mulheres do Brasil. Fernando Haddad, obediente a Lula, não podia oficializar a candidatura. Jair Bolsonaro não quis aproximação nem mesmo com o IDV, onde tinha vários eleitores. Ao convite do Mulheres do Brasil, Jair tuitou: "Quem é Luiza Helena?".

DEU NO *FINANCIAL TIMES*

Em dezembro de 2021, o jornal britânico Financial Times *divulgou sua lista das 25 mulheres mais influentes do mundo, Luiza Helena Trajano foi a única brasileira incluída. Para explicar quem é ela, o perfil trazia como título a síntese: "Fazendo justiça no centro dos grandes negócios". O texto se conclui lembrando que a fama e popularidade de Luiza Helena levou alguns a apostar em sua candidatura à presidência, coisa que ela descarta, dizendo: "Eu sou uma política na medida em que pertenço a um grupo de 100 mil mulheres que é a maior organização não partidária do Brasil".*

Não cabe em sua própria empresa uma empresária dotada de consciência social e poder de iniciativa como Luiza. Sempre foi assim, desde menina não se bastou a suas obrigações. Diante das imensas interrogações, perguntas e dúvidas com que a realidade brasileira a confrontava, tomou providências, coisa que faz tão bem. Pôs em movimento os mecanismos internos do Magazine em suas relações próximas, trabalhistas e comerciais, mas não parou por aí.

Fora do trabalho, trabalhava mais, botando em movimento seus projetos para, ainda em movimento, organizá-los, ampliando seu alcance. E essas iniciativas, digamos, fora da trilha profissional batida, passaram, aos poucos, a ter repercussão no universo corporativo, entre diferentes grupos de empresários que intuíram o que

Luiza estava propondo, e formaram grupos para discutir questões de seus setores – beneficiando-se das colocações e perguntas espontâneas da líder do Magazine.

A amiga Sônia Hess resume: "Ela sempre foi uma líder natural, usa a fala de maneira espontânea. Geralmente, ouve, ouve, ouve e de repente diz alguma coisa que tira todo mundo da zona de conforto, faz todo mundo se movimentar. É alguém que se posiciona sem brigar. Nunca a vi 'batendo de frente' com ninguém".

Quando esteve numa reunião anual do Grupo de Líderes Empresariais (Lide), na Ilha de Comandatuba, na Bahia, uma espécie de versão tupiniquim de Davos, a chegada de Luiza Helena Trajano saiu do script de autocongratulações comuns nesse tipo de ocasião. A amiga Chieko Aoki se lembra da primeira palestra de Luiza num fórum de Comandatuba. Foi muito aplaudida depois de falar, mas desafinou o coro dos poderosos, causando estranheza ao pedir para que todos cantassem o hino nacional.

João Doria relembra: "Luiza me chamou de lado e disse que tinha adorado o fórum, a organização, os debates, mas que tinha faltado uma coisa. Eu perguntei o quê. 'Faltou o Hino Nacional Brasileiro. Precisa instituir o Hino sempre, não só aqui em Comandatuba, mas em todos os eventos do Lide.' Eu acatei e passou a ser assim, até hoje".

ACONTECEU NO JAPÃO

Dois personagens da história do Japão, desprovidos de qualquer poder político institucional, foram essenciais para a modernização nipônica. Luiza nada sabe deles, mas Chieko Aoki, sua amiga nipo-brasileira, tem planos de contar essa história à grande amiga, quando encontrarem algum respiro de tranquilidade. Quem sabe, na próxima viagem que fizerem juntas?

Luiza Helena Trajano sequer desconfia que pode estar a reproduzir os melhores exemplos de duas figuras históricas que mudaram para sempre os rumos e a própria identidade do Japão.

Em meados do século XVIII, nasceu o primeiro deles: Sakamoto Ryoma. Naquele momento, o Japão era um país isolado e atrasado, avesso a um Ocidente que então se modernizava em ritmo acelerado. Os samurais, guerreiros tradicionais que rejeitavam qualquer ideia estrangeira, tinham enorme poder como símbolos maiores de uma sociedade de castas, em que as pessoas valiam por sua origem, não pelo mérito, sistema responsável em grande parte pela decadência do país. Sakamoto, filho mais novo de um comerciante de saquê, afligia-se com tanto atraso, ainda que ele próprio fosse um samurai-mercador, figura na base da hierarquia.

Inteligente, aplicou sua curiosidade para estudar os avanços ocidentais na medicina, nas leis e nas armas, e decidiu partir num périplo pelo país, com o objetivo de convencer líderes e cidadãos comuns da necessidade urgente de mudança. "Se o Japão não se modernizar, vai deixar de existir", dizia, com 20 e poucos anos.

Essa expedição durou anos e foi solitária, mas seus esforços pacifistas por melhores oportunidades para todos deram resultados. Os samurais perderam força, o Japão emergiu do regime feudal que já durava trezentos anos e o país passou a ser governado por um imperador que o abriu e modernizou. Quanto a Sakamoto Ryoma, apesar de uma morte prematura sem cargo político, poder ou dinheiro, não é exagero dizer que sua visão de futuro formou a base do pensamento japonês no século seguinte. Sua vida foi breve, mas sua obra permaneceu e foi um dos fundamentos de um novo Japão.

Shibusawa Eiichi, contemporâneo e uma espécie de continuador de Sakamoto Ryoma, teve impacto na história japonesa quando o país já era comandado pelo imperador e se modernizava rapidamente.

A Shibusawa é atribuída a criação de mais de quinhentas empresas e organizações econômicas, muitas das quais perduram no Japão até hoje. Dizem que o segredo de seu êxito como empreendedor foi sempre ter espírito diplomático e articulador, com preocupação central no bem-estar social, sem jamais ter perseguido poder ou riqueza, deixando-se conduzir apenas por seus propósitos. O legado de Eiichi materializou-se em projetos que, uma vez estruturados, ele delegava a outros comandos, para ir se dedicar ao próximo desafio. Foi assim que viveu até o fim, morreu aos 91 anos. Hoje, tem grandes títulos, que em vida preferia renegar, como o "pai do capitalismo japonês" e o "capitalista moral do Japão".

Ora, "capitalista moral" cabe bem no cartão de visitas de nossa biografada.

É pra já!, pensou Luiza assim que viu o post. Respondeu nos comentários, veloz: *@mariaprata nada para ficar calada mesmo. Nosso grupo vai entrar forte.*

Era 9 de dezembro de 2020. Acompanhei de perto, tenho a sorte de ser casado com Maria. Inconformada, como milhões de brasileiros, com a visível inação do poder público diante do desafio vacinal, Maria postou às 7 horas da manhã: *Alô, articuladores, ajudem a articular! NÃO DÁ PARA FICARMOS EM SILÊNCIO! O Brasil está morrendo. #vacinaurgente.*

Naquele momento, o governo brasileiro subestimava a necessidade da vacinação, sob alegações inconsistentes, não interessa enumerar quais. Não havia nenhuma negociação conhecida para a aquisição das vacinas pelo governo federal. Dez dias depois, em entrevista ao filho Eduardo, em 19 de dezembro de 2020, o presidente Bolsonaro afirmava: "A pressa pela vacina não se justifica. A pandemia está chegando ao fim. Se tiver vacinação, cada vacinado vai ter que assinar declaração assumindo as consequências". Naquele dia, o Brasil contabilizava 185 mil mortes pela covid-19.

Foi mesmo pra já. Em questão de horas, Luiza Helena, à frente do Mulheres do Brasil, botou em movimento um formidável esquema de ação e mobilização. Bem ao seu estilo, sem proferir ataque algum às autoridades, apenas acionando recursos a seu alcance, conclamando, agindo, dando o exemplo e comprometendo pelo exemplo.

Como delegada eminente da sociedade civil, Luiza fez o chamado a executivos das mais diversas empresas para formar uma frente de trabalho que acelerasse a imunização no país. Mais de cem entidades, entre empresas, bancos, ONGs e associações, aderiram ao projeto, que logo mapeou as necessidades de mais de 5 mil prefeituras, chegando muito perto do total dos 5.570 municípios brasileiros. Providenciou-se de tudo. Logo começaram a ser distribuídos produtos básicos em falta nos postos de saúde municipais, de freezers e câmaras frias a lâmpadas e papel higiênico, de caixas térmicas a algodão e seringas para a aplicação da vacina, além de computadores.

Tudo isso foi feito em movimentação ágil, discreta e eficiente, articulando entidades públicas e agentes privados que contribuíram com doações da grana que faltava. Estipulou-se o fim de setembro de 2021 como meta para imunizar o máximo de brasileiros possível. Somando 2 milhões de itens doados, mais as contribuições em espécie, a campanha movimentou pouco mais de 50 milhões de reais, doados diretamente para as prefeituras, sem passarem pelo Unidos pela Vacina. Um *reality show* nas redes sociais, comandado pelo DJ Alok, ajudou a fazer a cabeça dos mais jovens sobre a importância da vacina.

A ligação direta, em capilaridade viva e crescente com a camada do poder público que mais de perto transforma a vida dos cidadãos – os municípios –, torna o Grupo Mulheres do Brasil a maior força política apartidária do Brasil nessa virada da década de 2020. Luiza Helena pretende atuar na política tradicional através da apresentação de projetos de lei no Congresso, obedecendo as exigências regimentais de mais de 100 mil assinaturas em suas apresentações, número de partida de qualquer iniciativa do Mulheres do Brasil. O grupo atua hoje em mais de vinte comitês e 150 núcleos de trabalho no Brasil e no exterior.

 Hoje, o Mulheres do Brasil tornou-se a base, o quartel--general onde se concretiza o sonho da vida de Luiza Helena: a sociedade civil organizada para influir, de maneira direta, na legislação e nas políticas públicas.

SOCIEDADE CIVIL

Luiza Helena fala em "sociedade civil" como fosse seu hábitat. Bicho político por dom e desejo, até agora ela preferiu a "sociedade civil" como campo de batalha às trincheiras parlamentares e palacianas. Mas, o que vem a ser isso de "sociedade civil"? Paulo Sérgio Pinheiro, sociólogo referencial do Brasil, diz tratar-se de "um dos conceitos mais citados e, ao mesmo tempo, mais obscuros da teoria política contemporânea". Talvez seja essa mesma fluidez indefinida que atrai Luiza. A interpretação do que seja "sociedade civil" se ajusta conforme os interesses de quem quer atuar e influir através dela.

Durante a ditadura militar, a expressão ganhou um caráter subversivo, como se o "civil" em "sociedade civil" fosse o antônimo de "militar". Não é, mas... na real, quer saber? Era isso também, gesto de dissidência em um regime que não permitia oposição. Aliás, quase todas as vezes em que se usa a expressão "sociedade civil" é para denominar um tipo de organização insurgente, que não cabe nas entidades ou instituições estabelecidas, que não pertence à estrutura do Estado, nem a modelos conformados ao statu quo.

Por isso, nossa "caórdica" Luiza Helena se encontrou no seio dessa coisa que pode ser o que você bem fizer dela. Passeando pelos escritos de filósofos através dos séculos, desde que ela surgiu, no século XVII, espia só quantos significados já teve, e ainda tem, a expressão "sociedade civil":

— O oposto ao indivíduo isolado (que os antigos gregos chamavam de "idiota"). (Ferguson)

— A sociedade baseada no direito, em oposição ao estado de natureza, caracterizado pela guerra permanente e geral. (Kant)

— *Um estágio entre a macrocomunidade do estado e a microcomunidade da família. (Hegel)*

— *Se a sociedade política se impõe pela força, a sociedade civil se afirma pelo consentimento. (Gramsci)*

E, na definição do Centro para a Sociedade Civil da London School of Economics:

"Sociedade civil refere-se à arena de ações coletivas voluntárias em torno de interesses, propósitos e valores. Na teoria, as suas formas institucionais são distintas daquelas do estado, família e mercado, embora na prática, as fronteiras entre estado, sociedade civil, família e mercado sejam frequentemente complexas, indistintas e negociadas. A sociedade civil comumente abraça uma diversidade de espaços, atores e formas institucionais, variando em seu grau de formalidade, autonomia e poder. Sociedades civis são frequentemente povoadas por organizações como instituições de caridade, organizações não governamentais de desenvolvimento, grupos comunitários, organizações femininas, organizações religiosas, associações profissionais, sindicatos, grupos de autoajuda, movimentos sociais, associações comerciais, coalizões e grupos ativistas."

Ou seja, um lugar em que Luiza Helena fica muito à vontade.

GAROTA DO RIO

"Queria estar feliz como você" foi a primeira frase que Anitta ouviu de Luiza Helena, ao serem apresentadas.

"Eu conheci Luiza Helena num dia muito triste, todo mundo estava arrasado, eu estava tentando sair do bode..."

Funkeira carioca, naquele tempo ligada noutras bolhas, Anitta não sabia quem era Luiza, que não se abalou, foi se explicando: "Eu tenho a minha loja, uma rede de lojas, anuncio no Faustão, sabe o caminhão do Faustão?".

As duas se curtiram, vibravam parecido. Luiza Helena já tinha uma baita admiração pela jovem prodígio, Anitta virou fã, se identificou em mais de um sentido: "Acho Luiza muito genial, as coisas que ela pensa, sempre cheia de ideias, sempre pensando em todo mundo, como faz para ajudar, como faz mais do que só ganhar dinheiro, como fazer mais, fazer a diferença, mudar a vida dos outros".

Foi pelo WhatsApp que Luiza Helena convidou Anitta para ser a garota Magalu no Rio. Quando começaram as reuniões, Anitta encontrou mais afinidades: "Vi que tem uma coisa de família, muito profissional, mas sem perder essa energia de família. Uma empresa familiar".

Para a canção/jingle da chegada triunfal da Magalu no Rio – bem-humorado, Frederico Trajano disse que era seu "desembarque na Normandia" –, Anitta criou ela mesma o funk matador:

> *"Olha quem chegou*
> *E tá fazendo zum, zum, zum*
> *Tudo tem no Magalu*
> *Já se espalhou*
> *E dominou de Norte a Sul*
> *Tudo tem no Magalu*
> *Na praia, na bike, só vem*

Chamou Magalu, tudo tem
Na loja e no app também
Tem no Magalu
Tem muito chinelo, biscoito, biquíni
Desconto e entrega melhor do Brasil
E já tá na mão da garota do Rio
Vem pro Magalu."

De presente para a Cidade Maravilhosa, o Magalu fez a reforma dos BRTs, reenvelopados e reequipados com ar-condicionado e wi-fi grátis, mais internet grátis por um ano também para a SuperVia. Pela orla, foram espalhados 40 mil guarda-sóis e mil bicicletas de uso livre.

Ao abrir 23 lojas no mesmo dia, seguidas por mais 27 nos meses seguintes, além de um centro de distribuição de 30 mil metros quadrados e 28 pontos de cross-docking *no segundo maior mercado consumidor do país, o Magalu gerou três mil empregos diretos para os cariocas. Ao comércio vizinho às novas lojas, ofereceu presença no marketplace para vender suas mercadorias on-line, o que é pra lá de bonito.*

"Ela é incisiva, é parecida comigo até no jeito de falar: agora é isso, agora é aquilo! Não tem medo de arriscar... tenta aí, se não der, a gente tenta de outro jeito!", diz Anitta batendo palminhas de entusiasmo.

Ah, ia me esquecendo... o único dia em que Anitta e Luiza estiveram juntas em pessoa, por que era um dia tão triste? Estavam as duas hospedadas no mesmo hotel de Belo Horizonte, em 8 de julho de 2014. Tenho para mim que o encontro das duas poderosas deve ter sido a única coisa boa que aconteceu ao Brasil no dia do 7 a 1.

RIO, 1970.

CAPÍTULO 33:
METENDO A COLHER

Para manter o difícil equilíbrio (que mantém) entre estar sempre ocupada e ainda assim estar sempre acessível, Luiza Helena se vale de alguns códigos com seus colaboradores. Com a turma da segurança do Magazine, ficou combinado que, para avisos importantes, enviassem mensagens, ela não fica muito tempo sem verificá-las. Ligar direto, só se a situação for muito grave.

Por isso, Luiza empalideceu ao sair de uma palestra naquele 4 de julho de 2017. O chefe da segurança tinha ligado quatro vezes. Uma tragédia tinha acontecido. O corpo de Denise Neves dos Anjos, 37 anos, gerente de uma loja em Campinas, fora encontrado em sua cama, braços e pernas amarrados com arame, com cortes profundos nos braços e no pescoço. Quem entrou na casa e achou Denise morta foi o cunhado, que tinha estranhado seu sumiço e o do marido, José Huilia. Na noite em que tudo aconteceu, José tinha deixado o filho do casal com os avós paternos e nunca mais fora visto. Mais tarde, seu carro foi localizado em Birigui, cidade a quase 100 quilômetros de Campinas. Dentro do veículo, junto a seu corpo, uma garrafa com resíduos de veneno.

Denise e José estavam casados havia dezesseis anos, e a violência não era novidade. A mulher já tinha prestado queixa na Delegacia de Defesa da Mulher, quando depois de mais um ataque de ciúmes, José esmurrou a companheira e bateu a cabeça dela contra a parede.

Funcionária do Magazine por nove anos, Denise foi enterrada em Monte Castelo, interior de São Paulo. Na hora do crime, seu filho, com 9 anos à época, dormia no quarto ao lado. Hoje, ele mora com a avó materna, recebe apoio financeiro do Magazine e tem assistência psicológica.

A tragédia de Denise Neves dos Anjos marcou uma virada na posição de Luiza Helena diante da violência contra a mulher, que já combatia em campanhas do Mulheres do Brasil. Diante do horror do assassinato da funcionária, Luiza sentiu-se obrigada a fazer mais, tornou o combate à violência de gênero uma prioridade da empresa.

Menos de vinte dias depois do feminicídio, Luiza Helena já tinha organizado, junto a promotoras, advogadas e delegadas especializadas no assunto, o Canal da Mulher. Funciona como um disque-denúncia interno do Magalu, ao qual as funcionárias vítimas de violência doméstica e familiar podem recorrer.

O canal passou a ser acionado não apenas por mulheres em situação de risco, mas também por seus colegas de ambos os sexos, solidários ao sofrimento daquelas com medo de falar. Tal comportamento compassivo só fortaleceu a consciência de Luiza e seus colaboradores, e as ganas de ampliar a rede de prevenção e proteção.

Feita a denúncia, começa o processo de acolhimento e aconselhamento da vítima, com a oferta de apoio concreto. Quando preciso, a equipe jurídica entra em ação e a queixa é encaminhada para a polícia. Desde a sua criação, o Canal da Mulher recebe, em média, dezoito denúncias por mês.

Já houve episódios em que, como seria muito perigoso voltar para casa, a mulher foi cuidada pela empresa e encaminhada para recomeçar a vida – às vezes, numa filial de outra cidade, noutro estado. O Canal da Mulher atende também a denúncias de esposas de funcionários do Magazine.

Luiza Helena, como todos os brasileiros, tinha crescido ouvindo o dito "Em briga de marido e mulher, ninguém mete a colher". Inspirado nesse slogan histórico da omissão, o Magalu lançou, no Dia Internacional da Mulher de 2018, a campanha #eumetoacolhersim. Para participar, bastava comprar uma colher por R$1,80 – preço que remetia ao "Ligue 180 e denuncie", serviço que acolhe denúncias de violência contra mulher.

A campanha foi um sucesso e a arrecadação destinada a entidades que apoiam mulheres em situação de risco. No ano seguinte, o Magalu passou a disponibilizar, em seu site, um botão de socorro. Como se fizessem compras, mulheres ameaçadas podem acionar o alerta e, na mesma hora, começam uma conversa com profissionais do Ministério dos Direitos Humanos. Também em 2019, o Magazine passou a reservar 2% de suas vagas para mulheres que sofreram algum tipo de violência doméstica.

Durante a pandemia, com o aumento dos casos de violência doméstica, o Magalu lançou o Fundo de Combate à Violência Contra a Mulher. Todos os recursos vão para organizações ativas na formação profissional de mulheres vítimas de violência. Luiza Helena permanece firme na crença que a formou: uma mulher só é livre quando se sustenta sozinha, tem independência financeira.

Em 2019, o governo do estado inaugurou uma nova Delegacia da Mulher, em Franca. O governador João Doria tinha pedido a Luiza Helena pela ajuda do Mulheres do Brasil. "Ela prontamente atendeu e financiou essa Delegacia da Mulher, que está operando em Franca. Agora temos também a Delegacia Digital, que veio com a pandemia, e veio para ficar."

Luiza não se limitou a pôr a mão no bolso: "Em vez de dar dinheiro, sozinha, o que normalmente se espera que a gente faça, eu chamei o melhor arquiteto da cidade. Ele mobilizou as forças da cidade para ajudar a reformar a delegacia", conta ela.

Doria dá crédito histórico para Luiza Helena: "Ela é uma grande batalhadora pelas mulheres, sempre foi, não é um fato recente na vida da Luiza. Quando pouco se falava disso, ela já fazia essa defesa".

Nossa líder quer agora envolver os jovens na manutenção e desenvolvimento das delegacias, fazendo delas mais que espaços de proteção: "Tem uma energia tão legal lá! Com os jovens, quero criar um conselho em cada uma dessas unidades, para que eles ajudem a cuidar. Estou muito focada".

> **PEQUENO GLOSSÁRIO DE LUIZA HELENA**
>
> **FAÇA AOS OUTROS O QUE GOSTARIA QUE FIZESSEM A VOCÊ.**
> UM PRINCÍPIO MORAL SIMPLES, CLARO E ACESSÍVEL, A REGRA DE OURO DO MAGALU, MÁXIMA MÁXIMA DE LUIZA HELENA.

COMPAIXÃO EM PESSOA FÍSICA

A cidadã Luiza Helena peleja para não ser mitificada, nem tornada instituição. Age na realidade brasileira por meio de sua holding Magalu e de sua organização social, o Grupo Mulheres do Brasil, mas não deixa que institucionalizem sua compaixão. Sente, de modo profundo, a dor dos outros, não se omite, faz o que está a seu alcance.

ALINE

No segundo semestre de 2019, quando a funcionária de uma loja do Magazine no interior de São Paulo ficou entre a vida e a morte depois de um atentado ordenado por seu marido, Luiza Helena se envolveu no caso como pessoa física.

Vendedora, enfermeira de formação, Aline tem dois filhos com Lucas, de quem é separada. Quando entrou na justiça para que ele pagasse pensão alimentícia, o ex-marido a ameaçou: "Você só é bonita, tirando a beleza, você não é nada". Uma semana depois, Aline foi atacada por um desconhecido no meio da rua, que jogou na cara dela o que, em princípio, parecia água. Ela perguntou ao agressor: "Você jogou água em mim?" Ele respondeu: "Não, foi um presente do Lucas". Em poucos minutos, a mistura de ácidos começou a fazer efeito. Além do rosto, seu tórax e pernas foram atingidos.

Aline ficou no hospital quase três meses, em coma, intubada. Na reabilitação, teve que aprender a andar de novo, recebeu enxertos nas coxas, nas mãos, no tórax e no rosto. Perdeu um olho, o outro ficou com apenas 37% da visão. "Se não fosse Luiza, eu teria ficado com o rosto mais deformado, não teria como colocar prótese no olho." Ela não conseguia respirar de maneira autônoma, perdera nariz e boca. Luiza Helena bancou o tratamento, especialistas em *queimaduras, os melhores cirurgiões plásticos, psicólogos. "Luiza mudou a minha vida sem ter obrigação nenhuma. Sou uma das milhares de vendedoras que ela tinha numa das milhares de lojas que ela tem."*

Aline ainda está em tratamento, mas já sai na rua, fala, se alimenta, se movimenta.

Luiza e Aline nunca estiveram juntas, falam-se pelo WhatsApp.

"Não sei se ela viu o antes e o depois por foto. Quero muito agradecer pessoalmente a ela. A felicidade de ela ver o que fez por mim."

CACILDO

Desempregado, mulher e filha pra criar, Cacildo achou o bico que ia mudar sua vida, ajudante de pedreiro numa obra do rancho de uma mulher com fama de poderosa e justa. Quando soube que precisavam de um caseiro, ofereceu-se, conseguiu o emprego.

Com menos de um mês no trabalho, Cacildo teve problemas de saúde, baixou hospital, precisava de cirurgia. O seguro saúde ainda estava no prazo de carência, Luiza arcou com as despesas. Depois de recuperado, Cacildo voltou ao posto de caseiro.

Sucede que Cacildo não parecia levar jeito em especial para nada. Não engrenava como caseiro – como faz-tudo era mais faz--nada. Luiza não desistia dele, convicta de que todo mundo sabe fazer alguma coisa na vida, basta a oportunidade. Quando parecia que Cacildo seria a exceção a confirmar a regra, sua estrela brilhou numa noite de festa.

Era uma reunião de família em que apareceram muito mais convidados que o esperado. Os garçons tentavam atender a todos, mas o barman se embananou. Surgiu então Cacildo, revelação instantânea de garçom ágil e charmoso, além de gênio das caipirinhas. Salvador da noite, Cacildo foi promovido a barman oficial da família Trajano.

Em suas palestras, Luiza Helena narra, com orgulho, o triunfo de Cacildo, a prova de que "pau que nasce torto..." não precisa morrer torto. Aliás, depois dessa injeção de autoconfiança, Cacildo desabrochou, é hoje um ótimo administrador do rancho.

KARINA

Karina é a filha de Cacildo. Desde pequena, demonstrava facilidade para lidar com aparelhos eletrônicos, aprendera sozinha a programar o micro-ondas, o videocassete, dominar o computador... Percebendo a "fuçatividade" de Karina, Luiza Helena investiu em cursos de informática, de inglês e em um cursinho pré-vestibular.

Karina passou para a Fiap, Faculdade de Informática e Administração Paulista, em São Paulo, morou na casa de Luiza Helena durante os quatro anos do curso. Em vez de pagar a faculdade, Luiza aumentou o salário de Cacildo para que ele o fizesse. Na formatura de Karina, Luiza compareceu à festa e prestigiou a turma.

A moça é a primeira da família a ter diploma universitário. Formada, quis assumir com Luiza Helena dois compromissos. Mostrar ao mundo que uma menina pobre, nascida e criada na roça é capaz de conquistar o que quiser, e apostar no desenvolvimento de uma pessoa como Luiza apostou nela.

Pacto firmado, Karina conquistou um intercâmbio nos Estados Unidos. Depois de um período trabalhando na IBM, hoje ela está no LuizaLabs, laboratório de tecnologia e inovação do Magalu.

"A MAIS QUERIDA"

Em junho de 2021, uma pesquisa foi encomendada pelo que Elio Gaspari convencionou chamar de "andar de cima" do Brasil — altos banqueiros e empresários, aqueles de cujas ações tanto depende o PIB brasileiro. A pesquisa, cujos resultados nunca foram divulgados para o grande público, procurava identificar nomes viáveis de uma "terceira via", alternativas à dicotomia Lula-Bolsonaro.

O questionário não sugeria nomes, apenas elencava qualidades e perguntava quem vinha à cabeça do entrevistado ao se deparar com tais características; quem, no país, reuniria os seguintes atributos:

1. *Credibilidade, alguém em quem se pode confiar;*
2. *Capacidade de agregar e organizar, alguém que consiga reunir as pessoas mais diversas ao seu redor;*
3. *Honestidade;*
4. *Energia, alguém com poder de inspirar os brasileiros.*

A pesquisa apontou um nome disparado à frente dos outros, com folgada maioria nas menções espontâneas dos entrevistados. Só deu ela, Luiza Helena Trajano.

CAPÍTULO 34:
2022

"É preciso viver a angústia de ser um caos para gerar a beleza de uma estrela."
Friedrich Nietzsche

Todo mundo quer Luiza.

Mais destacada empresária entre homens e mulheres do Brasil, capitalista de sucesso, empresária referência internacional em gestão ambiental com responsabilidade social (que já praticava décadas antes de virar tendência hegemônica), cidadã ativa, engajada na promoção de transformações sociais e políticas, líder das lideranças, cortejada por todo leque partidário, das esquerdas às direitas e centros, ainda é a candidata dos sonhos de muitos.

Em 2022, muitos brasileiros têm sua fé no progresso abalada. Depois de quase uma década de grave crise econômica e política, muitos se refugiam no cinismo, o cinismo tornou-se valor, um valor com status, disseminado.

No ano em que o Brasil poderia, ou deveria, estar preparando a festa do bicentenário da Independência, o país está rachado, em crise de identidade. Como se não houvesse motivos para celebrar, como se nosso passado fosse só motivo de vergonha.

Onde estão os valores que nos definiam, onde estão nossos motivos de orgulho? O brasileiro não sabe mais se é cordial ou não, nem mesmo se é bom ser cordial; olha para o espelho, sua imagem está em cacos. Não éramos o povo de índole pacífica? Ou somos um dos países mais violentos do mundo? E nossa alegria, invejada em todo mundo, tratava-se só de disfarce traiçoeiro de nossa miséria? Somos, afinal, a hospitaleira gente brasileira, ou uma nação fundada na desigualdade, conformada com a injustiça?

Onde foi parar nossa esperança?

Nessa paisagem de desalento, sua luz insiste em brilhar. Luiza Helena aparece como a flor de Drummond, que nasce da náusea – ela é o oposto do cinismo.

Capitalista, prega que o lucro individual só ganha sentido se for revertido ao coletivo. Progressista, não se dá a dogmas esquerdistas, enfrentou sindicatos, estabeleceu uma estrutura pós-sindical dentro de sua própria empresa, em parceria com os funcionários. Trabalhadores que cantam juntos a ela o Hino Nacional e o do Magazine a cada início de semana. Orgulha-se do Brasil, sequer permite que se fale mal do país em sua presença. Não fala mal de sua terra, assim como não fala mal de ninguém;

se não aprova, faz diferente. Se os governos não agem, evita criticar, mobiliza-se e à sociedade civil. Exalta a história do Brasil sem deixar de apontar seus horrores, age para aplacar as consequências ainda presentes da escravatura. Sempre cordial, não foge do confronto, expõe suas ideias com firme educação. Combate a violência com medidas concretas, reconhece e amplifica gestos de paz. Sabe ser alegre como uma criança e, como uma criança, se insurge frente à injustiça. Trabalha, em discurso e ação, no convencimento da classe patronal de que a extrema desigualdade é ruim para todos. Não desanima, não para, não se acomoda, não espera – faz e faz fazerem. É movida a esperança.

Por isso, todo mundo quer Luiza.

Mas ela não costuma fazer o que se quer dela, seria óbvio demais. Encontrou seu próprio método, chamado "caórdico", uma mistura consequencial de caos e ordem. Primeiro, põe em movimento, e vai arrumando o "trem" no caminho, os trilhos vêm depois. Tem dado muito, muito certo.

Em 2022, Luiza Helena Trajano Inácio Rodrigues descartou, mais uma vez, a possibilidade de entrar na política institucional, ou associar-se a qualquer partido. Comprometeu-se a fazer política através de seu Grupo Mulheres do Brasil. Anunciou um plano decenal, metas propostas a serem alcançadas até 2032, nas áreas da saúde, educação, habitação e emprego. Os candidatos que quiserem comprar suas ideias e propostas podem assinar um termo de compromisso, a lavratura de sua aliança, seu apoio suprapartidário.

"Todo mundo atende quando Luiza faz um chamado", afirma a consultora Betania Tanure, membro do conselho do Magalu, amiga que já a acompanhou em diferentes projetos e grupos de discussão e atuação política apartidária, como no Grupo Mulheres do Brasil, a realização maior da vida militante de Luiza Helena. Luiza enfim conseguiu organizar uma entidade com considerável poder político, incomparável agilidade, coesa e motivada – a tal expressão vital da "sociedade civil" que Luiza tanto defendeu. Na busca de soluções, se o problema são as deficiências de representação no Congresso, propõe-se a auxiliar no conserto dessas deficiências daqui de fora, numa contribuição que se imponha e exija respostas práticas. "Luiza é muito intensa. Isso permite que faça várias coisas ao mesmo tempo. Outro ponto é sua capacidade de liderar. O verdadeiro líder não é o que quer guiar as pessoas, mas aquele pelo qual as pessoas querem ser guiadas. Ela é exatamente isso", opina Betania.

Os pés no chão, sua capacidade de dialogar e resolver problemas levaram Luiza Helena ao cargo mais claramente político de sua trajetória, o alto comando da organização dos Jogos Olímpicos do Rio em 2016. Luiza já participava do conselho-diretor do Comitê Olímpico havia três anos, quando Dilma Rousseff a indicou para assumir a instância máxima da Autoridade Pública

Olímpica,[1] em junho de 2015. Ela tornou-se, assim, a representante do governo federal na cúpula do evento, responsável ao mesmo tempo por questões do dia a dia do comitê, de cujo conselho ela continuou fazendo parte, e também por supervisionar a atuação de entidades públicas ali comprometidas. Dilma justificava sua escolha pela "seriedade total" que via em Luiza e em seus "olhos de águia para saber o que está certo e o que não está".

Muita coisa não estava certa, era preciso arrumar a casa. Sob um clima derrotista de que "as Olimpíadas do Rio serão um fracasso", o comitê era o responsável por adequar o orçamento limitado às exigências e expectativas do Conselho Olímpico Internacional (COI) e da sociedade em geral. Luiza Helena, como gestora, teve aí papel determinante, avaliando cada gasto e mantendo os ajustes todos na ponta do lápis.

Quando o COI solicitou a contratação de dois navios para servir de hospedagem complementar à capacidade hoteleira da cidade, ela não topou. Rebateu que o investimento, além de alto demais, era desnecessário. Na disputa, um dos navios foi por fim ancorado para acabar ficando com muitos quartos vazios. Outra contenda foi pela contratação do *catering* para dar conta da megaoperação de alimentação dos atletas e profissionais vindos

---

[1] A Autoridade Pública Olímpica (APO) foi uma autarquia especial criada em março de 2011 com o objetivo de coordenar a participação da União, do estado e do município do Rio de Janeiro na preparação e realização dos Jogos Olímpicos e Paraolímpicos de 2016. Fonte: www.gov.br.

de todo o mundo. Luiza propôs uma empresa brasileira nova no ramo, porém capacitada para o serviço e bem mais barata que o fornecedor internacional sugerido pelo COI. Luiza Helena ganhou a briga e 70 mil refeições foram fornecidas por dia, sem percalços.

Rebecca Lima, diretora de compliance da Rio 2016, acompanhou o trabalho de perto. Para ela, a maior façanha de Luiza Helena como comandante é a capacidade se envolver em tudo e fazer sempre as perguntas certas. "Quando ela questionava alguma coisa com que não estava familiarizada, imediatamente ligava para alguém que conhecia o assunto e se munia das informações necessárias. Atava na hora todos os cabos", diz Rebecca.

Para Luiza Helena, a experiência valeu: "Fiquei feliz de ter participado. Havia muito trabalho e em várias frentes, então pude aprender bastante. Coube a mim organizar as contas, porque havia gastos demais. Em especial, gostei de ter trabalhado com o Eduardo Paes, que era o prefeito do Rio no momento e me pareceu um raro político-gestor, que se dedicou muito para que tudo desse certo", afirma.

A QUEDA

Às vezes, o que por fim dá certo pode parecer estranho no começo. Parte da emoção do momento, guardada na memória de Luiza e de todo o país, foi sua experiência de carregar a tocha olímpica.

Em 2016, Luiza e sua filha Ana Luiza Trajano foram convidadas a participar do revezamento da tocha, em Franca. No glorioso momento, a mãe recebeu a tocha da filha, deu alguns passos, embalou uma corridinha e tropeçou, foi ao chão. O tombo e sua reação risonha foram simultâneos. Nem se abalou.

"A emoção de carregar a tocha na minha cidade foi tão grande, que até caí. Mas nem percebi e me levantei na hora. Dez minutos depois, em casa, o Frederico me liga dizendo que estava todo mundo achando que eu ia para o hospital. Na sequência, liga minha outra filha, a Luciana, de Portugal: 'Como é que você cai e nem me conta?'. Bom, no outro dia, fui ao meu Instagram e escrevi que estava feliz porque a tocha tinha passado por Franca, que eu tinha caído, mas que levantei depressa e continuei a minha missão, como sempre. Essa história viralizou."

Viralizou mesmo foi o espírito esportivo de Luiza no incidente. Ao se assegurar que Luiza Helena estava bem e tranquila, o Magazine Luiza lançou a campanha: A dona Luiza caiu, mas está bem. Vocês pediram, e os preços caíram também! #CairFazParte

A queda olímpica virou piada compartilhada, inspirou campanhas da varejista para anunciar liquidações. "Um ano depois foram homenagear os memes mais famosos da minha queda no lançamento do aplicativo. Aí criaram uma musiquinha e lançaram um programa comigo dançando com a tocha. Acho que caí só para render." Costuma ser assim na vida de Luiza Helena. Está sempre pronta. Se não caiu de propósito, foi o destino, a lhe dar a mais bem-vinda rasteira.

Pedro – *Gostei do seu cabelo! Tá bonito. Você e suas filhas têm cabelos volumosos...*
Luiza – *A família da minha mãe tinha cabelo muito ralo e a do meu pai, bastante anelado. Ela tinha uma simpatia que a primeira pessoa que cortasse o meu cabelo tinha que ter um cabelo muito bom. Então, pediu a uma vizinha que cortasse o meu pela primeira vez, e fiquei com esse cabelo, que todo mundo gosta – segundo minha mãe, parecido com o dessa vizinha... Sendo assim, mantive a tradição, já cortei o cabelo de muita gente, inclusive o de minhas filhas.*
Pedro – *Luiza, quem cuida do seu cabelo? Você está sempre arrumada e maquiada...*
Luiza – *Todo mundo acha que eu tenho maquiador, mas não, não daria tempo, me levanto de manhã e tenho uma coisa atrás da outra. Faço escova uma vez por semana ou no máximo duas... Eu me maquio sozinha.*
Pedro – *E com roupa?*
Luiza – *Também, eu não tenho estilista.*

CAPÍTULO 35:
VELHICE

A vaidade de Luiza Helena é de outra ordem, ela a chama de autoestima. Comporta-se como se fosse tão agraciada pela natureza e pela vida que não precisasse perder tempo com isso. Mas está sempre impecável, bem-vestida, maquiagem e cabelos nos trinques. A filha Ana Luiza sabe bem do discreto apuro: "Ela está sempre com o cabelo pronto, é vaidosa. Filha única, né? Veio para brilhar, sempre brilhou sozinha, então é supervaidosa. Mas negligencia o corpo, eu acho… Por outro lado, temos sorte. Não tenho cabelo branco e tenho 43 anos. Meu cabelo está sempre em ordem, o dela também, porque é um cabelo grosso. Minha mãe não tem celulite. A nossa pele é boa, temos genética boa. Tem a ver com a gente ter sangue negro também. Ao mesmo tempo tem um lado meio índio… somos bem brasileiras."

Pedro – *Luiza, me diz uma coisa: você já mentiu a idade alguma vez?*
Luiza – *Mentir, não mentia. Mas, também não preciso ficar falando minha idade. Os outros adoram ficar perguntando a idade… Eu não pergunto idade para ninguém.*

Pedro – *Por quê?*
Luiza – *Para que precisa saber isso, muda alguma coisa?*
Pedro – *Você se situa num tempo histórico.*
Luiza – *Jornalista tem umas crenças antigas, impressionante... Nossa Senhora!*

Envelhecer não parece ser uma preocupação para Luiza Helena. "Não vejo problema em ficar mais velha, para mim é um processo normal, nem positivo, nem negativo. Mas é preciso lembrar que tenho boa autoestima...", brinca. Mas isso é com ela. Ao observar a tia que tanto admira se distanciar da pessoa aguerrida e afiada que aprendeu a admirar, Luiza sofre.

Como, diante de problemas, o que Luiza faz de melhor é tomar providências, foi procurar entender a demência da tia, estudar o assunto a fundo para lidar com a situação insólita e continuar a acolhê-la. Assim é Luiza Helena, não só com a tia dela, sempre mais compreensiva e cuidadosa com a saúde dos outros do que com a sua própria.

Não é comum, porém, que adoeça. Faz seus check-ups com disciplina, também graças à insistência dos filhos que, atentos, cobram da mãe. Uma experiência de quase morte de Luiza abalou, marcou os três filhos. Foi em 2009, poucos meses depois da morte de Erasmo. Luiza, muito acima de seu peso ideal, decidiu que faria uma cirurgia de redução do estômago. Médico escolhido, controles realizados, o procedimento foi marcado para o mês de dezembro. Frederico, Ana Luiza e Luciana se preocupavam com a intervenção de alto risco. Ainda doloridos com a morte recente do pai, pediram que ela adiasse o projeto, sem sucesso.

A gastroplastia aconteceu sem sobressaltos, mas uma complicação no pós-operatório acendeu todos os alarmes, para o desespero de Ana Luiza, que acompanhava a mãe na hora do susto: "Foi antes do Natal. Ela estava em terapia semi-intensiva, e eu ficava lá durante o dia. Percebi que algo não estava bem, e os enfermeiros vieram correndo. Um minuto depois, ela estava recebendo transfusão de sangue. Identificaram uma fissura no estômago que estava provocando uma intensa hemorragia, e o médico, que tinha ido embora, voltou correndo para consertar".

Luiza perdeu quase 60% de seu sangue. A emergência foi contornada, por um triz. Traumatizados, trêmulos, amedrontados, estavam os três filhos ao redor do leito quando a mãe despertou. Abriu os olhinhos como quem acorda de soneca – "Oi, tudo bem?" –, como se nada tivesse acontecido. "Minha mãe não dramatiza doença. Nunca vi ela reclamar de dor. Recuperou-se e seguiu adiante", conclui Fred.

Luiza Helena não dramatiza, "não perfuma a flor". Pode até se derreter, mas só pelos netos. Como qualquer avó, tem o coração muito mais mole do que teve como mãe, cerca os netos de cuidados: Rafaela, Enrico e Maya, filhos de Frederico; Pedro e Antoine, filhos de Ana Luiza; e Benjamim, filho de Luciana. Mas não pretende se passar pelo modelo de avó que faz bolos e cuida das crianças quando os pais estão ausentes.

"Curto muito meus netos, mas tenho uma vida muito agitada. E tem uma coisa: nunca quis me realizar em cima deles. Quando bate saudades, vou lá, e a gente fica junto. Se estou com eles, estou inteira. O que não faço é ficar nesse 'ai, que tristeza'. Acho que cada um tem que seguir sua vida."

Frederico percebe a mãe suavizada para a nova geração, mas sabe que com ela, seja mãe, gestora ou avó: "Não tem papo furado, o *drive*, o impulso ainda é: 'Vou ensinar, fazer o coach, deixar uma marca'. Não tem conversa fiada, nem relacionamento superficial. Ela precisa deixar uma dica, fazer alguma diferença. Tem sempre momentos descontraídos e tal, mas seus relacionamentos são todos significativos", diz.

Para os netos, e não só para eles, Luiza Helena quer deixar tudo que aprendeu e aplicou na vida sobre a importância de se encontrar sentido ao caminhar. Muito mais que buscar resultados, não importa como se apresentem. Sua única lição, ela acredita, é algo que ela diria àquela menininha de Franca, que jamais imaginaria chegar aonde chegou, com tantos propósitos e afetos conquistados. E o que ela diria a si mesma é: "Faça tudo de novo. Eu adorei acertar e errar".

Pedro – *Luiza, você tem sempre tanta disposição, tanta força. O que te abala?*

Luiza – *Por exemplo, ver minha tia, antes tão ativa, assim como eu sou, hoje dormir durante o dia inteiro e não falar mais coisa com coisa. Isso me abala muito.*

Pedro – *E o que você faz nessa hora?*

Luiza – *Vou estudar, Bial. Com a minha tia, fico testando o que está dando certo, levo para passear... Não paraliso com abalo.*

Quem cuidava passou a ser cuidado. Entre Luiza Helena e tia Luiza tudo mudou quando a senhora de mais de 90 anos começou a esquecer as pessoas e as histórias, lembrada do peso dos anos só pelo barulho da cadeira de rodas – quando começou a se irritar com o desconhecido, que passou a ser quase tudo ao seu redor.

A demência de tia Luiza causou sofrimento a Luiza Helena, como ela mesma diz, mas não foi capaz de frear seus impulsos, nem sua imaginação. Dos passeios de carro por Franca, para recorrer os pontos da cidade que trazem relaxamento e lembranças à mente senil, aos esforços para vestir e embelezar a tia em dias especiais, Luiza se dedicou a entender o que funcionava melhor na nova fase de convivência das duas. Teve várias ideias e as testou, mas a mais divertida delas veio sem esforço, num feriado qualquer.

Estavam a caminho do rancho, onde tantas vezes tia Luiza já esteve, para descansar juntas durante alguns dias. No carro, começou a reclamação: "Onde já se viu? Esse fim de mundo!". Até que, instantes depois, como de costume, a chave virou e algo diferente chamou sua atenção. A tia disse à sobrinha: "Luiza, compra essa fazenda aqui".

Luiza Helena sentiu a lâmpada acender em sua cabeça e, planejando aplacar a eterna vontade da tia doente de ir embora dos lugares, descobriu o jeito de entretê-la nos dias seguintes. Propôs: "Tia Luiza, tem uma fazenda vendendo aí mesmo. Espetacular. Vamos lá para comprar?".

Os olhos de anciã soltaram faíscas de criança. Em sua juventude, tia Luiza adorava frequentar leilões, sabia mesmo como encarar as dinâmicas de lances e propostas de compra. Luiza Helena animou-se a armar o teatro: levou a tia para um casarão de seu próprio rancho, distante da casa principal, escalou um funcionário para se fazer de dono da propriedade e pôs os dois a negociar.

Luiza, a tia, continuava afiadíssima na arte da negociação. "Como costumava fazer antes, ela não chegou lá e disse de cara que queria comprar a fazenda. Ficou rodeando... Me falou para comprar um presente para a esposa do homem. Chegou lá com algo, cumprimentou o dono e perguntou a ele: 'O senhor tem filhos?'. Esse tipo de coisa... Foi hilário."

Luiza Helena fez o jogo e, cheia de amor, divertiu-se com ele:

"Tia Luiza, pergunta se ele quer vender."

"Menina, larga de ser apressada!"

Não que a tia quisesse perder tempo: "O negócio é bom quando é bom para os dois. Você quer vender mesmo?".

O suposto vendedor queria, mas ela achou o valor alto demais. A negociação duraria mais tempo. Ao sair de lá, tia Luiza começou a fazer contas. "Luiza, temos que colocar tudo no papel, o número de cabeças de gado, tudo." Nos próximos quatro dias, ela ficou enroscada com seus próprios planos e deu sossego a todos no feriado. "Ela não pediu mais para ir embora. Além de tudo, foi uma diversão."

TIA LUIZA, A ALMA DO NEGÓCIO.

CAPÍTULO 36:
A VISITA À VELHA SENHORA

*Do not go gentle into that good night,
Old age should burn and rave at close of day;
Rage, rage against the dying of the light.*

Dylan Thomas

*Não vás tão docilmente nessa noite linda;
Que a velhice arda e brade ao término do dia;
Clama, clama contra o apagar da luz que finda.*

Tradução: Antonio Cicero

    É a pior hora do dia, a mulher de quase 95 anos se agita, não quer que o Sol se vá no lusco-fusco do fim de toda tarde, o crepúsculo a maltrata.
    O corpo cansado se amalgama à cadeira de rodas. Os olhos vivos mantêm a energia de antes, a energia de sempre. Para se mover, meros 5 centímetros para chegar mais perto da mesa, só com ajuda. As visitas estão

chegando e Luiza Helena dá ordens, num grito familiar às quatro paredes daquela casa em Franca. O enfermeiro ajuda a encostar a barriga de tia Luiza à mesa. Nós, os visitantes, agora podemos nos sentar. Os olhos espertos de tia Luiza seguem nosso rastro, curiosos e expectantes.

Fora um dia bom, comidas no horário, cumpridas as pausas para descanso, mesmo a voltinha de carro para espairecer, ver as modas. Luiza Helena parece confiar no bom senso e sensibilidade dos visitantes. Abre o caminho para a conversa, mas pede paciência. "Vocês sabem como é a pessoa demente. Tem dia bom e dia ruim. Vamos ver se ela vai falar. O que vocês querem saber?", e arranca o papo. Mas é a tia quem fala e se dá a falar, com picardia:

"Vocês não me arrumam um emprego na TV Globo?"

Os olhos crescem, brilham mais. Surge neles o reflexo da jovem vendedora da Casa Hygino Caleiro, mais luxuosa loja de presentes da cidade, frequentada por ricas famílias paulistas. A moça de olhos vivos que sabe de longe o que é vidro e o que é cristal, se é banho de prata ou prata pura. É um bom dia, afinal.

"Está pedindo emprego, tia Luiza? Gosta de trabalhar, hein?", provocam as visitas.

"Sempre trabalhei."

A conversa flui na direção mais segura, o assunto trabalho. A sobrinha Luiza se tranquiliza. "Olha só como ela era trabalhadora... Ela sabia tudo! Pergunta da prata!", e estica o garfo, que é só banhado, depois a taça, que nesse dia é de vidro mesmo. Tia Luiza vai respondendo, a facilidade de reconhecer os materiais é inegável, mas já parece automática, amestrada. Luiza Helena quer soltar a tia para as visitas, mas não consegue – puxa os assuntos, escolhe os túneis e pontes a pegar nos caminhos do velho cérebro, sulcado pela demência.

Falta pouco para o aniversário de 95 anos de tia Luiza. Faz tempo ela prefere declarar 43. 43 anos para sempre. Tinha 43 em 1969, 1970, o Magazine pouco mais de doze anos de inaugurado, queria crescer, fazia planos para dali a cinco anos, quando a primeira loja, de departamentos, das grandes, seria inaugurada. Aos 43 anos, ninguém tinha a força de tia Luiza. Mas o mundo comemora seus 95 incríveis anos de vida, a idade não importa, a ocasião é feliz:

"A senhora ama fazer festa de aniversário, né, tia?"

"Gosto nada."

Qual o quê, vai deixar de contrariar...

"Mas como não? E as festas todas, cheias de convidados, com comida, bolo?"

"Não ligo pra isso."

Será mentira? Birra? A manha de seus conformes? Será senilidade? É quando fala a criança levada: "Mas de presente eu gosto! Não fiquem acanhados de me mandar!". E abre o sorrisão para os visitantes.

No olhar, volta a garota vendedora, a conversa refloresce. Alguém lembra outra coisa que tia Luiza ama nessa vida: as flores! Que conte aquela, quando trouxe um agrônomo de outra cidade a Franca só para cuidar de suas 1.500 mudas... de rosas, de todas as cores, tantas... Ela conta, lembra, suspira... quanto amor tem pelas rosas... não é?

"É. É verdade."

Quando são as vozes diferentes, dos visitantes, ela se anima, gosta, suspeita que aí vem novidade. Tia Luiza continua menina curiosa. Puxa conversa: "Vocês estão precisando comprar alguma coisa?".

Sim, a visita precisa, sim: "Vou me mudar no próximo mês, preciso comprar um sofá novo e roupa de cama, tia. A senhora pode me ajudar?".

"Vou mandar para sua casa, pode deixar."

"Mas estou sem dinheiro, preciso pagar à prestação…"

Isso nunca foi problema.

"Quantas? Quatro tá bom?"

A visita assente, promete pagar em dia, ela revira os olhos. Isso nem se discute. Honestidade não se discute.

Os assuntos sugeridos vão minguando, Luiza Helena só pensa em proteger a velha tia, mas tenta resgatar o sentido da missão: "O que vocês querem saber mesmo?", cansada do esforço de perguntar e temer o que sairá da boca da tia. Tem medo dos caminhos da memória que levam à tristeza – gente amada que não morreu, desapareceu.

"Você sabia que faz quinze dias que meu marido não volta pra casa?"

Deixa pra lá, tia!

Vontade de falar de antigamente.

"A sua infância, ela cuidando de você, pode ser, Luiza Helena?", sugerem as visitas.

"Tia, como eu era de criança?"

"Um amor. Aliás, essa menina é minha paixão!"

A tia abre um sorriso largo feito beijo que cruza a mesa e pousa nos lábios da sobrinha, satisfeitos.

Luiza Helena também tem olhos tagarelas. E eles quase choram quando os visitantes revelam à tia sua missão: "Estamos aqui porque vamos escrever um livro sobre sua sobrinha, tia Luiza. O que a gente tem que colocar nele?".

Nesse instante, ela não é mais a velha senil, não é a vendedora, não é nem a tia – é só, e intensamente, mãe: "Só coisa boa. Anota aí: eu ensinei muita coisa para essa menina. Hoje é ela quem me ensina".

■ ■ ■

"Se existe alguma força fora do normal, espiritual, sei lá, é como se eu tivesse sido escolhida pra fazer o que eu fiz. Sabe quando parece que você é predestinada? Porque, se você analisar minha história, parece que foi destino mesmo. Tudo na minha vida, até hoje, acontece. Parece que sou colocada nas coisas. Vejo os outros planejarem… mas, na minha vida, tudo acontece como se eu tivesse sido colocada nela. As pessoas me falam do dinheiro: 'Ah, mas também você pode…'. Eu sempre pude! Eu nunca deixei de fazer nada que eu quisesse. É como se alguém tivesse traçado minha história, e ela foi acontecendo."

Luiza Helena Trajano Inácio Rodrigues

Este livro foi impresso pela Rettec em
papel pólen soft 80 g/m² em março de 2022.